Carving
Memory

雕刻记忆

霍爱英 著

陕西师范大学出版总社　西安

图书代号 WX25N1269

图书在版编目（CIP）数据

雕刻记忆 / 霍爱英著. -- 西安：陕西师范大学出版总社有限公司，2025.8. -- ISBN 978-7-5695-5317-8

Ⅰ.I267

中国国家版本馆 CIP 数据核字第 2025PR4044 号

雕刻记忆
DIAOKE JIYI

霍爱英 著

出 版 人	/ 刘东风
责任编辑	/ 王雅琨
责任校对	/ 彭　燕
封面设计	/ 张潇伊
封面题字	/ 刘忠杰
美术设计	/ 建明文化
出版发行	/ 陕西师范大学出版总社 （西安市长安南路 199 号　邮编 710062）
网　　址	/ http://www.snupg.com
印　　刷	/ 西安市建明工贸有限责任公司
开　　本	/ 700 mm×1020 mm　1/16
印　　张	/ 14.5
插　　页	/ 4
字　　数	/ 110 千
版　　次	/ 2025 年 8 月第 1 版
印　　次	/ 2025 年 8 月第 1 次印刷
书　　号	/ ISBN 978-7-5695-5317-8
定　　价	/ 68.00 元

读者购书、书店添货或发现印装问题，请与本社营销部联系、调换。
电话：(029)85251157　传真：(029)85307636

目　录

◆ **青涩时光**

03 | 永恒的空白

07 | 为你欢笑为你忧

12 | 小屋遐想

17 | 眼镜缘

24 | 无言的歌

30 | 掌柜的不在家

◆ **绿色情缘**

47 | 高山上的冷杉林

52 | 寂寞母树林

57 | 两色太阳

63 | 明月如初

68 | 延河寻源

74 | 延安绿

◆ **红色牵挂**

97 | 回家看看

105 | 我心依旧

116 | 黄陵采风随想

129 | 终于懂您

138 | 文字的力量

◆ **本色人心**

151 | 宽慰你也宽慰我

159 | 孟夏之月祭亲人

166 | 自有岁寒心

176 | 深深的怀念

181 | 心永远在一起

192 | 娘的话

200 | 雕刻记忆

青涩时光

雕刻记忆

永恒的空白

她承认，也相信，在这个世界上，没有父亲的孩子是非常不幸的。

可不，但凡为父的有一官半职，或财大气粗，经济实力雄厚，那些个为人子女的自然会神气一些，即便走在人群中，大多也是昂首阔步气定神闲怡然自得的样子。傲娇一点儿的，头会扬得更高，腰板也会挺得更硬，讲话的语气和神态也不一般，动辄就会竖起大拇指，摇头晃脑来一句：我老爸如何如何，我们家老头子怎样怎样，一副"贵族"的派头，一副不可一世的模样。其实，在这看似张扬的神态之后，唯有她能品味出有爹的孩子那份天然的优越和底气。

　　她鄙弃那种让人产生不适感的优越，但打心眼里是真的很羡慕那些拥有父爱的人。人就是这样，缺什么就爱什么。因为，从记事时候起，死神就掳走了她的父亲。是可恶的病魔，无情剥夺了她叫"爸爸"的权利。

　　在她模糊的记忆中，父亲的个头很高，每次回家的时候总要含着胸低一下头才能进家门。父亲生病的时间不是很长，怕冷，总爱晒太阳。他总是把家里南屋的门板卸下来，静静地躺上去，追着阳光，趴着，躺着。病痛好转的时候，父亲还会抱起她和年满周岁的弟弟，父子三人一起在门板上玩儿。有时，病痛一阵阵袭来，她惊恐地看见父亲咬着牙关鼓起腮帮，额头上浸出汗滴。但稍稍好点儿，父亲就会故作轻松地一手揽着弟弟一手抚摸着她的头发，深邃的目光掠过他们的头顶，凝神注视着忙忙碌碌操劳的母亲，眼角渗出一行清冷的泪水。她张开小手为父亲擦拭着泪珠，在她年幼的心里，哪里知道这一切都将预示着什么。直到有一天夜里，睡梦中，她被母亲一声呼天抢地的悲号惊醒，一张泛黄的麻纸已经遮盖在了父亲蜡黄瘦削却还依然年轻的脸上。她还不明白不相信，亲爱的爸爸已经离开了她，丢下年轻的母亲、年幼的弟弟，永远走了……

随后，一具崭新的松木棺材装殓了父亲的尸骨。她茫然地跟着送葬的人群跑了许久，许久，终于跑不动跟不上的时候，她才意识到了什么，扯开嗓子撕心裂肺地哭出了父亲咽气后的第一声哀号："爸爸——我要爸爸……"她那稚嫩的哭声，更揪人心肠，招惹着围观的人们陪洒了不少同情的眼泪，也终于有人注意到了她的存在。有人从背后轻轻抱起她，尾随着扶柩前行的人群走了好长一段路，她哭，她喊，最后抽搐着哽咽着在那位好心的远房亲戚怀中睡着了……从此后，二十多年过去了，"爸爸"一词在她的生活中彻底淡出了。

失去父爱的她，方知道拥有的珍贵。上学后，看到周围的小伙伴们都有爸爸陪伴有爸爸可叫，她好生羡慕，好生嫉妒。有一天，她实在憋不住了，就跑回家，摇着母亲的手臂恳求道："妈妈，我也要爸爸，人家都有爸爸呢，我好想好想叫一声'爸爸'呀！"母亲疼爱地说："我可怜的娃娃哟，那你就到院子里叫吧，妈妈给你答应哦。"于是，不懂事的她就欢天喜地地蹦到院子中，张大嘴巴对着天空大声喊：

"爸——爸——"母亲流着眼泪在屋里应着:"哦——"那情那景,无论什么时候想起来,她都会泪流满面。

在她缺失父爱的心里,总在设想着有那么一天,一位年岁相当于父亲的男性能填补这个空白。然而,生性坚韧、刚强的母亲却决计用自己的双翼,像庇护小鸡那样护佑自己的幼崽不受侵害,一门心思拉扯着他们长大。母亲操劳着自己的操劳,辛苦着自己的辛苦,从来不曾考虑过改嫁事宜。

她依旧渴望着父爱,寻找着父爱。在学校,两鬓苍苍的老师像父亲;在单位,和蔼、慈祥的老者也有父辈的风范。她主动帮助他们靠近他们,给他们跑个小腿,力所能及地心甘情愿地照顾他们,从他们的赞誉声中似乎能感受到一种久违的遥远的父亲般的温暖。但这只是属于她自己的小秘密,她从来不曾向任何人泄露过一丁点儿。她甚至常常这样想:如果有一天,她交了男朋友,当然,这个男朋友一定是一个家庭健全的幸运儿。如果结了婚,她一定会悉心侍奉丈夫的父亲,万般珍惜那叫出口的"爸爸"一词的来之不易。她将以心换心,弥补生命中那个永恒的空白。

原载《延安文学》1993年第1—2期合刊

为你欢笑为你忧

一个人独处的时候，我常常想：芸芸众生，我能于千万人之中遇见你，于千万次的呼唤和渴盼中蓦然回首，不偏不倚碰到你，不得不说是一种幸运。

分离的日子总是显得太多。我对你的思念如水，随着日出日落越聚越多，汇成了江，流成了河。为一声报平安的消息，我总是心急如焚，坐立不安，惶惶不可终日。从夜到晨，从晨到夜，吃饭、睡觉以及每一次短暂的外出，都突发奇想，怀疑远在外地的你会不会从天而降给我一个惊喜。有那么几回，粗心的你竟然吝啬地不给我一星半点儿你的讯息，害得我食不甘味，夜不成寐，甚至狠心地以为你发生了意外，继而又为这毫无缘由的空想吓得心惊胆战。有时，也猜想你亦如那些不安分的男人，在外面的花花世界里迷惑了，走失了，或者遇到一个风骚妖艳的女人而忘记了新婚的妻子。伤心的我，就凄凄地蜷缩在阴暗潮湿的小屋里，呆呆的，一动不动，毫无目标地盯着某一片空洞的地方，莫名其妙地沉浸在自己的臆想中伤心垂泪。

女人的心，海底的针。何况大不咧咧粗糙如你，又如何能读懂我谜一样的心中涟漪。

寻寻觅觅，冷冷清清。青春懵懂中，你如上天派来的使者，突然现身于我的迷途。从你深情拥我入怀的那一刻起，心的门就徐徐打开了，你大踏步走进，与我相融，深深嵌进了我的血液里骨髓里。枯萎的生命之树充盈着勃勃生机，沐浴在你宽阔广袤的爱意里，我感到轻松、自在和畅意。我不再是多变的云、无根的草、流动的河、飘零的孤雁，一颗驿动的心找到了温馨的憩园。因为有了你，我不再柔弱地暗自饮泣，见人见鬼都可以直面且坦坦荡荡，无形中多了一份镇静和勇气。你不必为我左冲右撞振臂呐喊，你只需静静地站在那里，即使什么也不做，也仿佛一股真气在传递在输出，我就有了支撑，有了底气，晓得什么是强悍什么叫威慑什么叫硬气。那种自幼缺乏呵护而伴随生长的柔嫩和脆弱，顷刻间都会扑棱棱坠落而去。

从恋爱到新婚，看着你忙忙碌碌，反凸显了我的散散淡淡。一天天一月月一年年，日渐长进的你赢得了太多的认可太多的赞誉太多的光鲜，也吸纳了我太多的仰视和艳羡。你总是忙，夜以继日；我总是等，地老天荒。务实的理工男与浪漫的文科女，就这么在真实的日月中对立着交织着。劈柴、生火、提水、洗衣、买菜、做饭……新生家庭里的劳累和琐碎纷至沓来，几乎让我晕头转向气喘吁吁。

相信爱还在，但味道不再是当初的甜。

爱如黄连，越嚼越苦，仔细品来除了浓浓的苦涩，还有几多无奈，几多寂寞，几多焦虑。

期盼着，每过一些日子，你能抽出时间来，抛开所有的繁杂和忙碌，一双大手将我轻轻揽入你宽阔厚实的胸怀，让我有机会喃喃低诉，欢笑也好流泪也好，你无须太多言语也无须烦恼叹息。一个肩头，一个微笑，一句幽默的安慰，闭目感受你指尖划过发丝的一个抚摸，涓涓细流，就足以填满所有的情感亏空。都说陪伴是最长情的告白，我不是贪婪的女人，我只要

◆ 雕刻记忆 ◆

那么一点点：听春晓一声声清丽的鸟鸣，赏夏夜月光下斑驳的树影，观秋风沙沙吹动的树叶，看冬日漫天飞舞的雪花。也许你会笑我太纯、太真、太浪漫，但我真的希望能与你相互携手，不错过属于我们的每一个春夏与秋冬。

我理解的生活，不应该只有忙碌，还有诗和远方，还有身边随处可见的人间美景。也许你会纳闷，我们常常在一起也几乎天天见面，为什么还有那么多的想那么多的思那么多的念呢？人与人是不同的，我就是我，你就是你，尽管我们在一起，你中有我，我中有你。

我总是居安思危，忧惧着，担心着，思虑着，害怕有那么一天，我的世界里会因为弄丢了你而轰然倒塌甚至崩溃。太多的依赖，让毫无防备的我又该怎么办怎么活？我也许不会立刻死去，但活着的躯壳还有什么意义和乐趣？但事实上，一个热爱生命用力生活的人是不会轻易被击倒的，我更愿意选择果敢和坚忍。大浪淘沙，相信历经岁月的侵蚀和冲刷，最终能够留下的才是精华。

我不会因为你的光环而黯然。我要努力找回属于自己的亮点，成为独立的发光体，与你相映成趣。

我要伴随你紧追你甚至超越你。一生一世，我要让你因我骄傲为我自豪。我的爱永远不会成为绊你的绳捆你的锁。我是你出得厅堂入得厨房的妻。我要让你浸润在我浓浓的爱意里，让你欢笑让你幸福让你轻松自如做一个尘世中最最惬意最最舒心的男人。我要用我的光驱逐一切有害物种的靠近和挑衅，保护我的窝还有即将到来的幼崽不受侵害。

你无须拖我拽我背我扛我，我会用自己的双脚走路双手干活，更懂得开动自己的脑筋判断对错。你也无须娇我宠我捧我抬我，我永远是你相依相伴同舟共济骨肉相连的伴侣，不管风里，还是雨中。

也许此生，你的目光还会有超越树梢或俯视脚底的时候，既食人间烟火，谁都难免产生困惑产生迷惘。但请你不要忘记，在每一处你必须经过的十字路口，我都站立成一棵忠诚的守望之树，与你枝叶相连，根脉相牵。

只因为，"I love you！"

原载《延安文学》1997年第2—3期合刊

小 屋 遐 想

也许是因为小时候读了太多的童话,我的性格中很早就积淀了许多幻想的成分。

学生时代的我,总是喜欢远离人群,披一抹落日的余晖,独自登高。山风习习,绿树葱茏,投身于自然,依依情深。遥想那日暮的苍山中,有一栋石砌的小屋,石桌、石凳是小屋中仅有的陈设。而我正是那石屋的主人。渴取山泉水饮,饥可摘食野果,房前屋后种满各色时令蔬菜,尽享田园风情。一群洁白的羊羔羔和毛茸茸的小鸡仔将席地而坐的我团团围拢。耳边微风轻抚,头顶飞鸟欢鸣。远离喧嚣的我定然是世间最惬意、最舒心的人。

　　历史的车轮滚滚，扬起一路风尘。我抖落凡尘，终于明白：我终究不是陶渊明，更不是一个手持拂尘、身穿道袍的得仙老道，何况六根不净，尘缘未了，每日奔波在生存一线，有何资格和能力实现归隐田园梦呢？

　　漂泊了很久，终于神往家的温馨。头脑中唯一明晰的，仍然是小屋的样子：宽敞的空间里，有一个采光度极好的书房，书柜中珍藏着很多有趣的故事和人物。夜阑人静时，伏案读写的我即使紧闭双眼，也能找到需要的图书。卧室里，落地式的百叶窗上悬挂着粉红色的天鹅绒窗帘。每当清晨的第一缕曙光洒向窗棂，我睁开蒙眬的睡眼，拖着曳地长裙奔向窗前，扯开粉红色的帷幔，让清爽的朝雾、新鲜的空气弥漫小屋。静心凝望苍穹，"采天地之灵气，享日月之精华"，心情就会如天空般清朗、透亮。

　　我并不是享乐主义的推崇者，但当我真正成为一间不足二十平方米的昏暗小屋的女主人时，我还是懊丧地嗟叹自己恰似小姐身子丫鬟命。相当一段时间里，我甚至忘记了自己应该承担起一份家的责任而不是寻找各种理由和借口逃离那个狭窄阴暗的小屋。或出差，或加班，或躲在闺中好友家软磨硬泡迟迟不想回家。许多琐碎的日子里，小屋给予我的，更多的是天气和四季交替带来的重重压抑。

小屋临山。屋后那座庞大的石山犬牙差互，蛮横地阻挡了每一缕试图普照大地的阳光。四季稀缺阳光照耀的小屋弥漫着一股淡淡的霉味。屋前窗外，一棵经年老柳树随风摇摆，沙沙有声，似风烛残年的老人沉重的叹息；枯枝断叶，恰似昏花老眼中流淌出的浑浊泪滴。日复一日地沉闷和单调，小屋的主人也如那门前的老柳一般，有了一种苍老的感觉。在那不足二十平方米的空间里，即使最简单最必要的陈设也显得拥挤多余，哪里还能奢望宽敞舒适的书房？许多心爱的书籍被无奈地堆积在床底蒙尘的破纸箱里，频频造访它的，是黑夜中磨牙的硕鼠。

夏日，薄薄的屋顶贪婪地汲取骄阳如火的热情，不消多久，小屋就俨然成为巨大的蒸笼。开启窗户，会有近处粪池中刺鼻的恶臭扑来，足以使人五脏六腑翻江倒海涌动一阵。入夜，长脚的蚊子，在小屋中尖声细气地歌唱、舞蹈，唱毕舞罢，殷勤地为小屋的年轻主人留下奇痒难耐的红色肿囊作为慷慨的馈赠。因此，一连几日几夜就有难挨的抓耳挠腮相伴。这样的夏夜，只能拒绝灯光。没有电视的聒噪，远离图书的慰藉，小屋的主人就产生一种难以名状的悲哀。赤条条静卧在光硬的板床上，窗外斑驳的树影点点滴滴倾泻于身，一动不动，相信"心静则凉"，静静等候浑身的汗迹慢慢撤退。没有月光的晚上，任凭黑暗笼罩一切，吞没一切，连同小屋的主人。

  冬日，火炉驱不走屋中的寒意，小屋的主人总是瑟瑟的，周身的血液似已变得冰凉。偶遇狂风天气，西北风呼啸窗外，小屋就变成呛人的煤窑。汹涌的煤烟，浓黑的、橙黄的，冲撞着交织着压着挤着携裹着红色的火舌，从炉口炉底从一层一层炉圈的缝隙汹涌喷射而出，和着狂风的节拍一阵紧似一阵。无数的烟絮悠悠升腾、飞荡、漫游。枕头、被套、衣物、床罩都沾满了黑色的煤絮，小屋的主人除了叹气和厌恶之外，毫无办法。正自嗟叹清洗的煎熬和不易，哪知道自己早已在不经意中被涂抹成黑色煤絮点缀的小丑。对镜扮个鬼脸，把千百次的沮丧统统化作干涩的苦笑。

  多雨的日子里，天总是阴阴的、沉沉的，雨总是一丝不苟地下着，淅淅沥沥，叮叮咚咚。小屋的白昼演变成无尽的黄昏。人，昏沉沉；心，灰蒙蒙，恰似那迷蒙的天空。

许多孤零零的时间里，我倚窗眺望满目单调的外景，睁一双枯燥生疼发困的眼睛，搜寻着，遐想着。偶有所得，就俯趴在那张只有擀面条时才搬出来派上用场的案板上，涂抹着，勾画着，任年轻的心事滔滔汩汩、汪洋恣肆地流动奔涌。小屋的主人就在一堆闪光的诉说中卸下盔甲，重新焕发着美丽和青春的光韵。

依然对小屋存有无尽的神往。

那里，有一片天空独属于我一人，喜怒哀乐反复咀嚼，世事纷争远隔屋外。无须阔绰与豪华，心儿在小屋中永远荡涤得纯纯净净。即使清贫，也不乏缕缕温馨。

原载《海口文艺》1997年第1—2期合刊

眼 镜 缘

这一生，我不可能摘掉眼镜了。

不是因为我的眼睛已经近视得无可救药，也不是因为我不懂顾盼流连明眸善睐的迷人神韵。十多年的相依相随，缘于眼镜的故事很多，我不能不对我的眼镜情有独钟。

记忆中，我是刚上初中时因为近视不得不戴眼镜的。

那时，我对各类言情、武打小说不加分析地迷恋，把当时市面上能看到的有关琼瑶、金庸的书几乎看了个遍，有的还看了不止一遍。上课看、走路看、吃饭看，蹲厕所也看，晚上熄灯后缩进被窝打了手电筒接着看。好端端一双大花眼硬是让小说看坏了。

那会儿年纪小,不懂什么才是真正的美。

当我戴了粉红色镶框的眼镜羞答答踅进教室时,班里的好朋友玲儿兴奋地对我耳语道:"你一张粉嫩粉嫩的脸蛋儿搭配这淡淡的粉色框架眼镜,简直太漂亮了。"

真是歪打正着。我为这意外的赞美飘飘然了。玲儿的钦羡是真诚的,她在多次请教我近视的"秘诀"之后也如法炮制。但遗憾的是,玲儿最终未能如愿与我形影相随共同戴着眼镜出入校门。时至今日,我依然搞不明白,为什么玲儿的眼睛出奇地健康,虽历经"虐待",视力却顽固地保留在2.0,不给近视眼镜留一丝可乘之机。

时光飞逝,日月如梭。日渐长大的我方感到眼镜毕竟是外物,毕竟还是累赘人的。

大学里,我初涉爱河,甜蜜的亲吻令我魂牵梦萦。每当此时,眼镜却不合时宜地找别扭。为了美,也为了他,我不念多年的旧情毅然抛弃了眼镜,也抛弃了眼前清晰亮丽的世界。为了好看,裸眼出行(那时还没有隐形眼镜),周遭的一切都变成混沌一片。我自欺欺人地以为,好看最重要,只要我不说看不清,谁又能知道我视力欠佳!

　　夏夜晴空,星星不再是一颗一颗地眨巴着眼,而是那么迷蒙地连成一片片一簇簇地忽闪、摇曳,月亮也失去了美丽轮廓,如在雾中,如蒙纱,飘飘忽忽。苍山朦胧,房屋朦胧,熟识的亲人和朋友也都笼罩了一层朦胧。我只能最大限度地调动听力和感觉系统,以他们朦胧的步履神态远距离分辨确认走近的行人。

　　即使这样,冒充好眼睛的我依然能凭第六感觉从模模糊糊的人群里感知到心中的他的存在。未曾出声,心先狂跳。不承想,他对擦肩而过的我视而不见,浑然不觉。情急中,我狠狠擂他一拳,以惩罚他胆敢无视我的存在,抚慰一颗遭冷遇的骄傲之心。谁不曾年少轻狂过?自视颇高的我直到许久以后才慢慢晓得,眼镜之于我,犹如我的五官般不可分割,摘掉它,即使很熟悉的人也变得陌生且隔膜起来。恋人说,我斯文的气质很适合戴眼镜呢,即使一副普通的眼镜,也能够把我文静的书卷气衬托得分外浓郁。再说他既然爱我就爱我的全部,包括我身上的缺点鼻梁上的眼镜。为这一句感人至深的话,我曾经激动得泣不成声。

　　爱过方知情深,恨过方知情痛。激情过后的我们终于因理解而分手,我心头的酸泪横流。我不是那种情愿把伤疤展示给众人换取廉价同情的人。在人前，尽管我的心已坠入冰窖，脸上却依然挂着清浅的微笑。泪滴无数次溢满两只眼睛，徐徐滑向脸庞，模糊了镜片。我终于明白：初恋是晶莹而剔透的，根本容不得一丝半点的过失和不足。毫无防备的我，不意间竟成为情感的俘虏。让人心醉的海誓山盟，一诺千金，在朝雾般年轻的心中根本掂不出多大分量的。一叶障目，好友的善意提醒、亲人的劝阻，根本撼动不了一意孤行的冲动。有些人叫不醒，只能痛醒。

许多清醒的黎明、无尽的暗夜，寂寞总是与伤感相伴，山岳般的沉重压得我喘不过气来。是忠诚的眼镜，不计前嫌，把丝丝清凉带给我红肿的眼睛，携书本陪伴我引领我一步步走过生命中的第一道黑暗的弯。

我终于肯委屈自己听从好心人的安排，接受别人介绍一个貌似比较般配可以共进同一门槛的人。

万没想到，原来落架的凤凰不如鸡呢。第一次介绍对象就迎头挨了一棒，打击缘于我的眼镜。

牵线人讲，男方听说我戴副眼镜就偃旗息鼓了，见面相亲的俗举已成多余。看来，不找戴眼镜的姑娘为妻理当是人家男方的择偶条件之一。可笑，也可气。我固执地以为，择偶是不该先定条件的，限定模式的感情怎么会纯会真呢？涉世不深的我竟然断定，那位把眼镜作为条件之一择偶的后生，档次一定高不到哪儿去。说归说，不知哪里窜出的一股偏执的傲气，硬是不能忍受这种出师未捷即被拍死的晦气。

一个阳光明媚的早晨，我一改往日的慵懒，刻意对镜梳妆，精心打扮。描眉，画眼线，涂抹鲜艳的唇膏。精致的妆容，得体的装扮，镜中人顿显精神了许多，清爽了许多，自信了许多。一身剪裁合体的皂黑色软料西装，恰到好处地勾勒出纤腰丰臀女性几近完美的弧线。一条亮红色的长条丝巾，反衬出白皙的脸庞。抬头挺胸收腹，以最灿烂的微笑和最得体的步态昂然走进牵线人的办公室（被介绍男子与其同室办公）。当我以少女特有的甜丝丝的悦耳嗓音开始与牵线人海阔天空不着边际地漫谈时，我清楚我的造访是醉翁之意不在酒。果然不出所料，不用回头勿须侧目，我分明感到临窗的那张办公桌后有一束热烈的光焰正为我凝聚。直觉告诉我：我的魅力足以吸引、打动那个拒我于千里之外的人。我挥一挥衣袖，如一阵风般飘然而去，甚至连正眼也没瞧那人一眼。心情瞬间大好，为自己持续多时平铺直叙的生活增添的这出戏剧性情节窃笑良久。

之后，牵线人频频惠顾我的寓所，不无欣慰地告诉我，他是受人之托来的，他的那位同室办公的年轻后生已经改变初衷，不嫌弃我的眼镜，愿意与我相处，云云。而我，却恶作剧似的告诉他：对不起，本姑娘还不想谈婚论嫁。在主动地选择与被动地接受生活之间，我喜欢前者。

现在想来，那会儿的我毕竟年轻气盛，尚不知晓在世界每一处不经意的角落，都有被埋没的风景。无足轻重的我，又算得了什么！再说，为一个与自己毫不相干的人，全然犯不着那么认真较劲的。

如今，我清贫的屋檐下，栖居着一对朝夕相伴的年轻人，五十步不必笑百步，每人鼻梁上都横了副眼镜。夜来灯下共读，晨里整装出发，步调节奏中就有了很多协调的成分，那就是：相视一笑，戴上眼镜。

依然对眼镜心存感激。如果当初不因眼镜受阻，身处低谷中的我说不定会犯傻随便处理掉自己呢。那么，说眼镜挽救了我亦不算太过分吧。

琐碎的生活中，两副眼镜也分外让人劳神。兴奋时，手舞足蹈一阵，不小心撞掉眼镜的情形时有发生，不是镜片粉身碎骨，就是镜框断壁残垣。生气时，不理智的拳头没勇气出击对方的身体，却把可怜的眼镜当作"出气筒"摔碎、砸坏。不拘小节的一对人儿，常常随意乱丢眼镜，即使在平静和谐的日子里，伴随一声"咯嘣"脆响，一对"近视眼"就如站在冰雪覆盖的荒漠上，从头到脚一片冰凉……眼镜又被压碎了！同样的错误，我们总是一犯再犯，一错再错。无奈的我们只能自嘲地大骂一声"死不改悔"，又看着身首异处的眼镜叹息一阵。双手瑟瑟地，从本不宽裕的薪水中，拿出数目不少的一部分。城中的眼镜店，频频地，总有我们光顾的身影。

也曾试过隐形眼镜，瓶瓶罐罐的，这液那水的，更烦人。据说，精湛的近视手术似乎可以挽救眼镜带来的尴尬局面，但偶有过来人陈述种种后遗症，似乎也很吓人。我们更不敢拿自己的心灵之窗去赌运气。

砸碎，更新，再砸碎，再更新。日日，月月，年年，一副副眼镜的牺牲，终于换来了我们渐趋成熟、渐趋沉稳的今天。

好久没有再换眼镜了。

今生注定，我们是一对戴眼镜的人了。

原载《美文》1998年第3期

无言的歌

冬天的脚步渐渐远去了，身居北方小城的我，却突然收到来自南国花城的一封信。看着这熟悉的笔迹，清秀的字体，心头一震，一种久违了的情绪几乎使我难以自制。

信是我中学时的班主任老师写来的。在我的一生中，这位班主任老师是第一个让我的心情莫名其妙地激动的男性。多年过去了，然而，当我看到这封信上熟悉的笔迹时，潜藏在心里多年的记忆又清晰地浮现了出来。拆开信封，早有泪珠晶莹着滑落下来。

白色的信封，可是十八年前教室里的黑板？蓝色的字迹，可是当年沙沙作响的粉笔板书？一个十二三岁的小姑娘，满怀少女的怅惘与娇羞，痴痴地过滤着黑板上的字迹，用心，用情，用汗，用泪，饱蘸了多少梦想与信念，终将那龙飞凤舞的字迹深深地刻在了心海里。

当年，老师刚刚从一所师范学校毕业来到我们学校，而我则是一个刚刚告别小学生活不谙世事的小姑娘。眼前的一切，对于年纪仅仅长我们三五岁的"小老师"和刚刚走进初中大门的我们来说，都是新奇和陌生的。我甚至怀疑过这个略带几分女孩子气的男老师能不能胜任班主任这个角色。以后的日子证明了我的担心是多余的。课堂上，他是一个神情严肃、乐教好施的好老师；课外活动时，他则成了我们这一群天真活泼的孩子的"伙伴"。时至今日，我仍然搞不清老师的身影究竟是怎样一点点走进我的心中的，是他活泼的个性，还是他面对调皮的男生时无奈的神态？是他大步流星走路的姿势，还是他和我们一起游戏时的朗朗的笑声？不知从哪一天起，我渴望能在每天的学习生活中最大限度地在老师的身边多滞留几分钟。

也许正是在这种朦朦胧胧的心态驱使下，原本不怎么用功的我开始了发奋学习。学习之余，我还将心思都投入到有价值有意义的文体活动中。从初中一年级到二年级，我的学习成绩一直在全年级遥遥领先，还为班里捧回了歌咏比赛、舞蹈比赛等活动的优胜奖杯。在老师的举荐下，我被评为了全县多年来唯一的省级"三好"学生。

荣誉的光环下，唯有我最清楚，所有动力的源泉在哪里。可以说，在我十五年的学生生涯中，唯有这两年堪称辉煌。

随着师生感情的和谐融洽，越来越多的学生喜欢追随着我们的"小老师"。课外活动，我们以老师为中心，围成一个大圈，一颗雪白的排球从老师的手中托起，逐一地在同学们的手腕上颠起。夕阳映照着绿茵茵的草地，我们的欢声笑语在操场上空飘荡着，久久不息。

"小老师"很爱学习。我们上自习课时，他总是静静地坐在教室的一隅神情专注地读写着。虽然好动的我们都向往着教室外面的世界，可老师却像海龙王府里的定海神针，使我们翻腾的心归于风平浪静，直到下课的铃声响起。

那时候，我的内心强烈渴望走近"小老师"，但在行动上却不可思议地抗拒着他。十二三岁的我，根本不具备科学地分析自己解剖自己梦幻般心理的能力，自卑、胆怯或者某种无形的束缚,牢固地将自己的朦胧情感禁锢在看不见的笼子里。尽管心似脱缰的野马,人却依然乖巧沉默安静得像是一头温顺的等待赞许奖赏的羔羊。因为我明白,在老师的心目中,我只是一个涉世不深的孩子,一个好学生,一个女学生,仅此而已。他绝对想不到在我少女迷蒙如雾般的心湖上,正在为他泛起怎样的涟漪。

分别很快就来到了,因为老师考取了一所知名的高等学府。他就要与相伴两年多一起成长一起学习的唯一的一群学生拜拜了,要去遥远的地方继续深造了。

怀着一种复杂而又异样的心思,经过几个难眠的夜晚之后,绞尽脑汁的我终于想出了一种自以为比较妥帖的告别方式:用积攒了很久的零花钱买了一个漂亮的笔记本,用心用情含泪凝聚成几个颤颤抖抖的字迹醒目地写在扉页上,似乎是那种诸如"师恩难忘,分别留念"之类普通得不能再普通的分别寄语。但透过那哆哆嗦嗦的笔画,也许只有我自己才能窥到其中隐藏着怎样一颗狂跳震颤的少女心。

当我满含羞涩地夹杂在送别的同学们中间给老师呈上这个自以为别样的笔记本时,老师却拒绝接受——不仅仅是我的,还有其他所有同学的赠礼。从他恳切的语言中，我终于明白，他是因为我们花费父母的血汗钱为他买礼品而感到不安。

然而，尽管我十分了解也理解老师的良苦用心，我的一颗心还是冷冷地不住地往下掉着、掉着，就像掉进了无底的冰窖里一般发冷、抽搐。完了，完了，我用思念和梦幻汇聚成的临别赠言，就这样随着一声婉拒而灰飞烟灭。路正长，我还未能成年，谁能保证此后漫长的岁月中，老师还会记住他曾经教过的一个普通学生？这样想着，泪水早已溢出了眼眶。我的心，潮湿得几乎能拧出水来。

就在我难过地转身欲走时，老师却叫住了我。他从我的笔记本上慢慢地撕下了我写给他的赠言并夹到他的本子里。送还本子时，他还用指头轻轻刮了一下我的鼻子，鼓励我要好好学习。我感到他的手指凉凉的，如一丝清泉徐徐流过我的心田，顷刻间便抚平了我心中骤起的波澜。

时光如梭。一晃十八个年头就过去了。

当我在北方的这座小城里枯燥地重复着三点一线的工作、生活时，他却在遥远的南方看到了我发表在刊物上的文学作品。他是写信来为我表示祝贺的。他说，他是在反复看了作者简介之后才最终确定文章的作者应该就是他当年引以为骄傲的学生的。他说,他已年近不惑,却很能将写东西的我与当年那个爱哭的小姑娘联系起来。

这么说,老师当真是记住了我当年的模样了。他真诚的褒赞让我很感动。

多想告诉他,若干年前,一支无言的歌曾经为他轻轻哼过,而我就在那支无言的歌里编织着少女的梦想;若干年后,当这支无言的歌历经世事沧桑再度在心头回荡时,一股超越爱情和友情的温馨再次让我泪光闪闪。是的,这是一种温馨的情愫,一种被惦记被认同的温馨情愫。

还是把一切都珍存在记忆深处吧!

无言的歌,只能留给自己轻弹慢唱。

原载《海口文艺》1998年第1—2期合刊

掌柜的不在家

百无聊赖。

掌柜的出差远在千里之外,孩子也不在身边。平日里忙得几乎没工夫叹息的肖宇,顿时感到轻松自在。

然而,还是百无聊赖。

肖宇是下午下班回到家后突然意识到这个问题的。她躺在三人沙发厚厚的海绵垫子上,感到房间里有一种不同于往常的空间感,就不由得长长地吁了一口气。

为什么要结婚,为什么要生孩子?一个人真好。肖宇这样想。

真搞不明白,当初为什么竟一时冲动,

就轻信了他，依恋了他，最后也就索性嫁给了他呢。现在想来，自己这个大学中文系毕业的优等生也相当**窝囊**：怎么就没有勇气树立起独身主义的大旗，享受一下一个人吃饱了肚子全世界都不饿的快乐逍遥呢？

同学——男朋友——对象——爱人，称呼变来变去，最后觉得还是陕北话实在，也比较本土化，周围的同僚容易接受，就干脆称呼他为"掌柜的"。因为他也总是操着浓重的陕北腔调给别人这样介绍："这是我婆姨。"一句地道的陕北称谓其实也无伤大雅，肖宇却为此而黯然神伤，一瞬间仿佛自己就从一个高傲的公主变成了灰头土脸的农村小媳妇啦。有一回，她竟然为此悄悄地掉了两颗泪珠呢。

唉，大概也是由于母亲当初焦急的催促，同学新婚纷至沓来的烫金请柬的诱惑，外加某种来自自身的对家的向往……总之，是诸如此类说不清道不明的理由的共同驱使。肖宇过去没来得及想，现在想也白想，始终还是无法想清楚说明白。她出嫁了。一晃几年，日子也便这么稀里糊涂地过来了。

结过婚生了孩子做了母亲，紧张的节奏环环相扣。肖宇在短短的几年里圆了一个普通女人的梦。按理说，掌柜的虽不甚英俊但体格魁伟健壮，幽默勤快，宽阔的胸膛让她感到了踏实安全和实在;孩子机敏乖巧憨态可掬,每天下班回来,看到孩子那张纯真的笑脸,瞬间便温软地融化了一切不快。肖宇如果再不知足,就是身在福中不知福了。但肖宇还是若有所失,似乎心有不甘,总是高兴不起来。

她觉得不管怎么说,做女人还是比较麻烦比较琐碎。传统意义上的乖乖女,围着锅台转,围着丈夫转,围着孩子转。转得脱离了社会,迷失了自己。而男人只要高兴只要腰包里有钱,就可以围着酒瓶子转,围着永不倒的"长城"转,晚上泡在歌舞厅里再围着美丽的石榴裙潇洒地转,似乎很是稀松平常,谁也不会指责许多。肖宇愤愤然看不惯,常在掌柜的面前发牢骚,为女人含屈叫冤。"这个嘛,大概是上帝使然。"掌柜的总是朝她得意调皮地眨眨眼。

结了婚生了孩子,无论对于什么类型的女孩子来讲,都不得不经历一个质的转变过程。浪漫的要向现实举械投降,清高的要对世俗偏见低头容忍。就连谈笑举止也要像变了一个人似的"入乡随俗",书卷气不能太浓,针黹女红自然更应该是必修的课程。否则,别说众人,就连尊敬的婆婆大人也会挑刺怄气,横挑鼻子竖挑眼,咋看你咋不顺眼,觉得脸上无光祖宗无德，否则怎么就摊上了这么个没本事不会干活儿的媳妇，让儿子吃亏受罪没人侍候。在粗俗浅薄的人群中，她甚至会被当成怪物一样被人嚼舌，被人讥讽，被人议论，被人贬低。

结了婚生了孩子，从前那个清纯天真，思绪漫天飞舞纵横驰骋聪明靓丽的女孩子，转眼间就灰头土脸失去了光彩。哪里还敢奢望众星捧月般拥有多情后生频频的回头和灼人的目光，让她脸红心跳呢！

这些，正是肖宇婚后内心积淀下来的最真实的感受。虽说还不能自圆其说，在别人看来可能是谬论，但在那次同学孩子满月的宴席上，肖宇的高见却博得了几位大学女同学的频频颔首。肖宇明白，大家窝了一肚子的话被她三言两语说开说破，自然除了佩服就是拥护了。回到家里，肖宇得意地向丈夫炫耀她的独家理论，谁想，掌柜的竟拍拍她的头说："瓜伈，快别冒傻气了。"

没有办法，环境就是这样。无论少女时代的梦幻多么瑰丽绚烂，现在也无法旧话重提了。可是摆在眼前的是实实在在的一日三餐上班睡觉，还有丈夫塞在床底藏在隐蔽角落的皮鞋臭袜以及孩子的屎布尿毯。忙里忙外，夜以继日。工作还有下班休息的时间，唯独母亲这个职业永远没有休假的时候。这一切，足以使人晕头转向东拉西扯手忙脚乱心灰意懒，似乎活着就已经是拼尽全力了，哪里还顾得上什么养神怡情健美锻炼，哪里还有雅兴去精心构筑那虚无缥缈的如梦人生？

还没有步入中年，肖宇怎么就分明感到了中年人的劳累和辛酸呢？但她也明白，她又不像那些吃过大苦受过磨难的老一代人那般质朴能干，任劳任怨。她想飞，想感受那种舒展酣畅凌空翱翔的快感和惬意，但她的双翅分明沉甸甸不听使唤；她想静，想把自己关起来，享受独处的快意，没棱没角，温顺贤良与世无争，却发现那样原来也很难很难。

有时候，肖宇会痴痴地凝望窗外，看那棵老柳树在风雨中飘摇，痛苦地被洗礼被揪掉残枝败叶接受雷电摧残。物伤其类，不知不觉中，肖宇早已是泪流满面。每当此时，她的心情总是恶劣到了顶点。肖宇似乎感到自己正生活在一个夹缝里苟延残喘着，既上不去又下不来，心里好生着急，好生憋闷，也好生恼火。

毕竟，肖宇是食人间烟火的，怎么能要求她达到物我两忘的最高境界呢？二十七岁，正是青春奔放的年龄，而立之年指日可待了。肖宇觉得自己事业无成，人微言轻，不但没有立起来，甚至连挺直腰杆坐起来也达不到。就拿她此时此刻的心境来说吧，她感到自己是四肢无力地趴在地上的。

常言说，十个指头伸出来也不一样齐，何况人呢？这一点，肖宇心里十分清楚。所以她平时总是小心地为自己戴上一副笑口常开大大咧咧的面具投入生活，好让别人明白她其实很幸福很知足。特别是在掌柜的面前，她更善解人意，只言情感不谈金钱，也好让负荷沉重的他感到轻轻松松，心平气和地拥有他们共同搭建的温馨驿站。

但掌柜的不在家，肖宇就没有必要遮遮掩掩。不谈理想不讲大话只想摊开一堆心里话。当今社会已变革到如此发达如此先进的地步，生活上阔起来的人已在大谈现代化家庭该怎样装潢才显得豪华气派。三大件的构成早已演变成电话、汽车和电脑。他们穿的是名牌皮尔·卡丹西装，配以高质地的韩国领带；用的是金利来真皮提袋，就连小巧玲珑的鳄鱼皮或意大利皮以及不知道是什么皮的钱袋的价格，也足以使工薪阶层的人们望之兴叹了。阔女人披金挂银宝石钻石珍珠翡翠浑身的珠光宝气让人目眩，化妆品只承认有洋文商标的进口货，美容已进步到利用硅胶垫高鼻梁、隆胸，盲目追求异性眼中的性感，甚至刀子剪子总动员采取切割强拉的手法做出自以为好看的双眼皮、夸张的超细眉毛，刺画出黑黑的国宝型熊猫眼线。女人们似乎都患了"容貌焦虑症"。传统意义上的"身体发肤受之父母"，现在却演变成自我嫌弃自我否定了。一些人的审美已经扭曲到花大价钱切割修理人工塑造的残忍程度。就连东方人引以为傲的黑头发也难逃厄运，人们开始崇尚异域风情的金发或是挑染成红白黄相间的乱七八糟没什么名堂的花色头发。

　　肖宇丝毫没赶过这种让人惊叹诧异的所谓时尚和潮流，也从不艳羡。只是她寒窗苦读十几载，得到的学位和文凭从某种意义上来讲，或多或少，只是在她出嫁的时候充当了一件美丽的嫁衣而已。多年来，她依然留守在黄土高原的这块被称为圣地的小山城里，看别人下海上岸得意失意。体制内的她每天还是不紧不慢地上班下班。日复一日，年复一年，日子过得不温不火，波澜不惊，每天似乎都是昨天的重复。每月可怜的薪水紧巴巴，只能勉强维持生计。她想不通，那些常年出入高级歌舞厅的人们，一掷千金，难道仅仅为了追求一种痛快和淋漓？她不知道那些戎马一生打下江山的前辈，九泉之下又该作怎样的感慨呢？

同学中，有学业不精却经商发达做了老板的；有南下闯世界辞了工作一去杳无音讯的；也有出国不知道究竟在做什么，反正偶尔也衣锦还乡大把花钱，改了乡音变得陌生而不可亲近的。而她呢，她这个毕业于黄土地上最高学府的优等生，如陕北高原亘古不变的土窑洞一般，依然如故，默默无闻。凭每月屈指可数的一点点工资，她的生活水准应该还处于小康线以下，仅能养家糊口，属于清贫阶层。但她认了，就如这片土地上生生不息面向黄土背朝天的农民兄弟一般，踏实、无怨无悔。

然而，这样平实的处境让她又如何高兴得起来呢？假如没有接触那么多的文学作品，假如她没有太多地了解外面的世界，从刚刚出生就被一种狭隘禁锢着，或许又会是另外一种情形。

其实，这座城里的人们一点也不落后。诸如富翁，所谓贵族、款爷，冲浪浴、土耳其浴、桑拿浴，等等，什么新潮和时髦的高级享受他们都会热情地积极追逐和仿效，并且乐此不疲。

款爷——新潮——时髦——婉儿。

对，婉儿。不知道怎么搞的，这些奔腾跳跃的名词一下子就让肖宇想起了自己的好朋友婉儿。

记得那次，与她同样留守在山城的好朋友婉儿盛情相邀她同去洗土耳其浴。也许是浴室里的温度太高的缘故，也许是她这个人太"土老冒"，不会享受吧，总而言之，她在洗完澡准备穿衣服时，竟突然间人事不省地跌倒在地上，吓得婉儿拖着哭腔大呼小叫，紧紧地将她揽进怀里又是掐人中，又是拉胳膊扯腿地准备做人工呼吸。足足折腾了三五分钟，她才从昏迷中苏醒了过来。那一刻，她似乎感受到了死神的气息，感受到了死亡的恐惧。她禁不住地抽泣起来。依着婉儿柔滑的肩头，她发誓永远也不再来享受这种在她看来完全属于灾难的特殊待遇。

婉儿捋了捋湿漉漉的头发，长长地吁了一口气，抿嘴笑了。待肖宇情绪好点的时候，婉儿说："你昏倒是因为没有吃饭低血糖的缘故，哪就会跟死联想起来呢？咱们女人家，韶华易逝，好在我们还算得上年轻，更要珍惜今天，好好地活着，点点滴滴都要善待自己，活得自自在在，舒舒服服，滋滋润润，精精彩彩。这样，才不枉此生呢。"

美丽的婉儿有着俏丽的脸庞，高挑健美的身材和挺拔性感的大长腿。她属于那种懂得开发自身资源优势并发扬光大的女人。因之，顿悟后的婉儿很快就阔了起来。婉儿是这座山城里第一支时装模特队里的名模,不用上班,单位里工资奖金分文不少,与朝九晚五的同事们一样,劳保福利一样不少,而模特走场又有一份优厚可观甚至让人眼馋的收入。但婉儿的钱依然不能够满足她本人日益膨胀的高昂消费,虽说结了婚生了孩子,但这并不影响婉儿积极地"傍大款"。

然而山城毕竟还是山城,一些根深蒂固的东西,现代潮流和浪漫是侵蚀不掉、撼动不了的。这就使婉儿生活得并不像大城市里的风流靓妹那般骄傲和轻松。一些人欣赏婉儿羡慕婉儿,又因嫉妒生出莫名的仇恨敌视婉儿对婉儿嗤之以鼻。但肖宇不。或许因为肖宇知道很多东西,对周围事情的认知程度自然就高出一个范畴吧,或许因为婉儿是肖宇大学四年里唯一的推心置腹的好朋友吧。总之,肖宇对婉儿的所作所为表示理解:每个人都有自己的活法、自己的选择,何况倔强如婉儿者,认准了的事情十头牛都拉不回。既然存在那就合理吧,重要的是她自己舒服的同时不要伤害别人,这是做人最起码的底线。

肖宇知道,这个世界已经变得越来越实在,也变得越来越让人无奈了。

听来的故事很多,见到的人和事也不少,毕竟,谁都没有生活在真空里。这，大概就算是阅历了。

偷鸡摸狗的事情岂止一件！一些道貌岸然的人肚子里往往装满了坏水。

肖宇也常常这样想：如果哪位兢兢业业的导演需要物色这方面的演员，那么最好还是请他们深入基层，深入群众，深入到这座山城里来吧，这里形形色色道貌岸然的伪君子都拥有世界超一流的演技，不用培训，即刻就能够粉墨登场。肖宇想，这些人高明就高明在其既做了婊子又能够风风光光地为自己立一块贞节牌坊。

只是婉儿不会。这说明婉儿还没有被社会这个大染缸浸染得面目全非。至少，她还有感情有良心有自责。即使做在别人看来不算光彩的事情，她也是正大光明地投入地去做，从不遮遮掩掩。况且，婉儿当了模特走南闯北也见了些世面，她有资本也具备一些现代女性的性格特点，她已经能够从思想上和行为上接受情人这个概念。那次，她轻轻倩倩地告诉肖宇说：男人喜新不厌旧，女人吃醋不嫌酸，彼此平安无事就行，何必当真？这样看来，婉儿的风流断不会导致沸沸扬扬的离婚事件，搞得家庭这个社会的细胞坏死脱落，给社会增添不安分的因素；而且相反，舞台上的出色表演、各种应酬中的抛头露面招来的飞短流长，以及令人尴尬的性骚扰，都会因为婉儿早已投奔了个有声望有地位的大款而烟消云散。傍了大款的婉儿从此高级轿车、名牌时装、首饰、大哥大、小洋房应有尽有。偶尔也见她臂弯里挎着那个四十开外的"款爷"摇曳多姿地行走在山城的街道上，脸上绽放出几分得意几分优越几分超然。唯愿那个大款的异地原配永远蒙在鼓里。

但肖宇还是搞不明白，不知婉儿的丈夫和孩子究竟怎么看待他们家中的这位行事高调的成员。

唉，这年头就别再为别人的事情操心劳神了吧！肖宇苦笑了一下，收回了弥漫的思绪。

这时，一阵饥饿袭来，肖宇才记起自己还没有吃晚饭呢。但她好像是因为想得太多想得太累了似的，丝毫没有起身到灶前做饭的兴致。吃食堂？算了吧……她一动没动，闭上眼睛，懒懒地伸了伸泛酸的腰肢，真想睡过去一会儿。可是她依然全无睡意，依然是那些堵不住的杂乱思绪云缠雾绕般地充盈着脑际。

肖宇想起，掌柜的不在家的这些日子里，也曾发生过一点小故事，只是那故事刚刚开了个头就匆匆收了尾。没有序幕，没有发展，更没有高潮和结局。她已懒得去想那件事情的具体细节，只是自我在进行一番心理评价。

肖宇没有太多的遗憾，失去的同时也意味着获得。她觉得自己在一无所有而又物欲横流的季节里能修炼一份清气满乾坤的本领，这本身又是怎样地富裕和丰硕呢！她感到她的周围也许正是花香四溢的春季。

突然，"丁零零——"一阵清脆的电话铃声响起，她被吓了一跳，一下子从坐垫上弹坐而起。许是想得太多，拉得太长，就像空中悬挂的蜘蛛的游丝，那么一荡，就撞回了南墙。那么，她本该就是那蛛儿了！习惯了在无人的角落里吐丝、织网，却发现缚住的原来只有自己。她苦笑了一下，摇了摇头，顺手从床头抓起了电话。

"喂，宇宇，你一个人在家还好吗？我明天就飞回来了，别乱跑，等着我啊！"是掌柜的浑厚低沉而又急切的标准男中音，充满了磁力，很好听，不费吹灰之力就把她飞舞的心思稳稳当当地掳了回来。分开已经有些日子了，挺想他的，更想从他嘴里捞点甜言蜜语养养心，可是那边已经摁了听筒。掌柜的从来都是这样三言两语欲说还休地传递情感信息，在肖宇听来一点都不到位。或许,那边恰巧有同事在他周围不方便太肉麻吧,抑或是公用电话收费太高的缘故吧。

都是恼人的电话,为了它,肖宇狠狠心卖掉了她心爱的蓝鸟组合音响,那是她新婚时候最值钱的奢侈品了。有了电话,与同学联络方便了许多,但因之她的生活里却没有了音乐和歌声。恬静淡泊中,有时,电话的聒噪声也绝不亚于偶尔带来的惊喜。虽然听声音没有什么差别,都是"丁零零——丁零零——"

完全没有睡意。近期不知道为什么总是失眠,可怕地失眠。不知是否犹如《百年孤独》中马孔多镇上弥漫扩散的失眠症那般严重?脑子如洗般清晰,尽管眼睛涩涩,身体倦倦。

肖宇突发奇想,如果天下的夫妻不要朝夕相处,而是一年三百六十五天中合也半年分也半年,那么,他们之间积淀的怨气自然会一圈圈瘦了下去,代之而起的思念和美丽的等待希望和期盼,是否会更富激情和浪漫呢?

丢落,一池春水;收敛,阵阵涟漪。本来就是湖的静谧,又何必感念大江大河的澎湃和汹涌呢?也不要大海,磅礴的气势似乎能吞并一切,兼容一切,却总还有潮起潮落的时候。

　　肖宇干脆披衣下床,摊开一沓稿纸,随意涂抹了起来。

原载《延安文学》

绿色情缘

雕刻记忆

高山上的冷杉林

位于陕西眉县境内的太白山，以其高耸入云的雄伟气势、瞬息万变的气象姿态闻名于世。我对她倾慕已久，却总因无缘一睹她的美丽而心存遗憾。

几次如意的旅行安排都因种种缘故而搁浅，于是，就有一种隐隐的牵念萦绕于脑际挥之不去，一波三折丝丝缕缕，被拖得悠长、悠长，膨胀、张扬得竟有些欲罢不能了。

等了很久，盼了好长时间，终于能够开始旅程了，竟欣欣然昏昏然如梦似幻般有点眩晕的感觉。方知原来有一种期待是埋藏愈久，向往弥坚的。

由于时间紧迫，我不能一一尽览太白山的博大与丰饶。此行原本是处心积虑的拜访，怎奈行色匆匆，实际上只能算是走马观花了一程。但毕竟是带着一种心情去的，看山山有灵性，观水水也知情。

真正是人在景中，景通人性。

缆车徐徐攀升着。

时值三伏天气，空气中却不知不觉已经夹杂了一些凉丝丝的气息。及至半山腰，即使裹了租来的黄色棉大衣，浑身也瑟瑟发抖。刚才上山时还是晴空丽日，此刻一眨眼的工夫，天空中已是雪花飞舞、雾霭重重了。看来，太白六月积雪的确名不虚传。

云遮雾绕，缥缥缈缈，如临仙境。

导游如数家珍般喋喋不休地介绍着太白山的生物资源。而我的视线，早已被一片从未见过的、异样的树林深深牵引着，久久难以扯开。这是一片携云裹雾、面坡而生的树林，依着山势一路攀升着，树木既挺拔，又飘逸。从缆车上俯瞰秀美的太白山，唯有这片树林最为抢眼、蔚为壮观。导游告诉我，这些树的名字叫作冷杉，又被当地人称作风向树或旗形树。

哦，冷杉，多么富有诗意的名字！沐浴着高寒地带的风霜雨雪，定然携带了冷峻、凝重的气息，难怪她显得那么风骨卓然。

近了,近了,当缆车行至海拔三千二百米的北坡休息区时,我竟有些抑制不住地径直奔向冷杉林。冷杉是静谧的,又是张扬的。虽然没有风,却给人一种簌簌的感觉。她们像好客的乡村农人,毫无戒备地张开双臂,兜售着最质朴的热情,拥抱每一位激情走近的游人。仅仅一瞬间,我的心生平第一次为一群无言的树木感到悸动和震颤。我惊诧于她们的伸展,惊诧于她们的舞动,惊诧于她们的冷峻。普天下的树,有很多种,其中也不乏稀世珍品。而冷杉却与我们平时在不同季节、不同地域看到的树种大相径庭:论茂密,她们不如松柏;论俊美,她们不如梧桐;论魁伟,她们更不及历经千年的银杏树那样虬枝旁逸,宛如撑天巨伞般遮天蔽日。但是,她们的确是以一种傲然的凛冽姿态让人惊鸿一瞥,瞬间即以一种摄人心魄的魔力,紧紧地揪住了我的心!

确切地说,眼前的这片冷杉是畸形而又独具气势与神韵的。她们盘根错节,青筋裸露,如飘动的旗帜,仿佛是在呼啸的山风中突然被定格成永久的神态,于静谧中传递着动态的风韵。她们携手成林,一株株、一排排,清凌凌、冷峻峻,英姿飒爽地耸立着,面对冰冷空旷的山野和漫长的岁月，苦苦地坚守着。为了生存这个唯一的信念，她们的根，紧握着足下的岩石；她们的叶，奋力触摸着头顶的白云。她们以无比傲岸的风姿，依着大山一路攀升、一路舒展。或许是为了适应恶劣的环境，或许是为了保证最低的能量消耗，她们隐忍着、沉默着、努力着，坚韧地站出同一种姿态，整齐划一，只要生命不息，哪怕还有一丝气力，都会奋力地迎着寒冷、向着阳光普照的方向一点点伸展，一点点绽放，一点点张扬。犹如大风吹过的一瞬间，被定格，被冷却，又何止是几百年、几千年！漫长的付出，漫长的伸展，经年累月的痛苦磨砺，她们蓬勃生命的另外一半枝干悄然地削减了、退化了。化蛹成蝶，她们终于将自己雕凿成迎风招展的独特姿容，为游人展示出眼前这样一幅鬼斧神工俊美的图画，让人嗟叹不已！

然而，太白山的神奇又何止这一处冷杉。当年"太白泼墨"，是否是因为李太白触景生情豪情万丈又无从表达，才慨然弃笔泼墨，留下谜一样的故事和谜一样的景致，让后来者流连忘返，浮想联翩？

胜景无限，唯有高山上的冷杉林让人不能释怀。

都说高处不胜寒，又有几人能起舞弄轻影潇洒人世间？心灵，在震颤中浅吟低唱着。

严寒酷暑，浪打风吹，活着的我们，为了更好地活着，究竟该怎样打理自己的生活，塑造真实的自我，才算没有白来人世走这一趟呢？

原载《延安文学》

◆雕刻记忆◆

寂寞母树林

酷夏渐去渐远，沉闷的大脑稍稍活跃了一些。一种想去林中走走的愿望就强烈起来。

有车去直罗镇，我心怦然一动。直罗属林区，定然不乏诱人的绿色。况且，作为生我养我的家乡富县之一隅，几近三十年的人生岁月里，我竟无缘一睹她的美丽，真有点愧做家乡人。

从县城西行，五十余公里的路程一直穿行在一片绿色之中。淡绿、翠绿、墨绿，层次分明，把绵延数百里的黄土丘陵装扮得分外妖娆。那一刻，我几乎不敢相信自己是行走在陕北的大山沟里，不敢相信与荒凉、贫穷结缘的陕北黄土高原上，竟然有如此丰腴、如此醉人的绿色。这绿是宽广的、纵深的，这绿是博大的、静谧的，这绿也是绝少人工雕饰的。她的美是一种大美，美得大气，美得自然，是城市的公园、街道矫饰装扮的绿无法比拟的。

近了，近了，我已能望见耸立在半山腰的柏山寺塔了。那是一座华丽的塔。塔的周围，绿汪汪的油松长满山坡。同去的林业工作者告诉我，那是一片母树林，顾名思义，是专门孕育种子的。细瞧，依稀可见斑驳的松球悬挂枝头，如一朵朵小花，点缀着母亲庄重的容颜。

站在山脚下，"直罗战役纪念馆"几个大字赫然醒目，似乎在向我昭示着六十二年前的那场著名的战役。遥想当年，战斗惨烈、辉煌，以歼灭国民党东北军一个师又一个团，俘敌五千三百余人，毙、伤敌一千多人的显赫战绩名垂青史。如今，历史的硝烟早已消失殆尽，我多想走进纪念馆，以一个后来者的虔诚去凭吊为共和国的创立长眠在这里的英雄们。遗憾的是馆里的铁门紧锁着，锁链上锈迹斑斑。门口，两只寂寞的石狮恒久静卧着，静静地张着嘴，睁一双痴痴的兽眼望着我们。我怜惜地轻抚狮头，只能从门缝里窥探一阵。但见院落杂草丛生，重门紧锁。一种恍若隔世的苍凉感从心头掠过。

还是去看看母树林中的柏山寺塔吧。

奇怪的是，我们绕了好大一个圈，树林密布，藤蔓相连，就是找不到上山的路，连一条羊肠小道也不曾看见。

攀着不知名的灌木藤，沿着几近垂直的断壁残垣攀越，意外发现，我们的选择路线竟然是一条捷径：直扑母树林怀抱。正是气喘吁吁，热汗淋漓呢，转眼就是松涛阵阵，凉风习习，真是分外惬意！母树林里静极了，每一阵风过，都有古铜色的松果脱离母体，而嫩绿的松球却牢牢抓住母亲的手臂，相依相牵。

母树林，多么亲切的名字，莫非她亦有母亲的品格吗？

猛抬头，杂草丛中几块烈士的墓碑闯入视线之中。正中央一块，是名叫黄甦的烈士的。党史我没有专门研读过，更无从知晓这位生于广东佛山的烈士，究竟是不是直罗战役中牺牲的最年轻的军队领导人，也搞不清楚他的墓碑为什么不在山下的纪念馆里。仅从生平职务介绍来看，年仅二十七岁的他，在当时应该是颇有名气的人物了。我默默地采来一束金黄色的野菊花，无限虔诚地摆放在这个名叫黄甦的烈士炭黑色的墓碑前。鲜艳的黄色，在四周浓绿色的母树林掩映下，格外醒目。

我只能以这样的方式，聊表一个后来者对年轻先驱的无限敬意。愿他安息！

母树林是寂寞的，方圆几里很少有人走动。

林木葱茏，绿意正浓，游走许久，竟然连诸如野兔、山鸡、蛇之类的小动物也没见到一个。如此多的松果，也不曾招来漂亮的小松鼠跳来跳去。也许是林子距离村落太近，柔弱的动物们惧怕贪食的人类，才不敢恣意亲近这片母树林吧。

歇息片刻，我们继续在母树林里穿梭，绕来绕去，蜿蜒前行，终于踩出一条绿色通道，来到了柏山寺塔下。

但见荒草萋萋，足以隐没行人。

塔基前，做工精美的菩萨身首不全。凭一团精致的莲花云头，我可以分辨出眼前这尊双手合十的雕塑就是书中常说的"扫三灾救八难"的观世音。仰望高达十一层的塔身，并没有史料中记载的"透风洞两侧的石罗汉和武士雕像"。高处不甚清晰，低处一片狼藉。

苍山不语，蓝天无言。不晓得这柏山寺塔究竟经历过怎样的一场劫难。忙碌的人们也许早已忘却了这样一处建于唐代的古迹。我兴之所至的造访，实在也不是为了恋古怀古的，只是本着休闲养心或者取经借力的些许目的随处走走。

一路下山，静默无言。

母树林、古塔、烈士墓碑萦绕在我的脑际。我想，当下，为生计奔波的人们或许没有多余的精力观照历史，也没有多出的闲钱整修维护，抑或缺乏闲适的心情回望、缅怀。但我相信，总会有那么一天，一个不经意的回眸，或许会让人反思：匆匆前行中的人们，是否已经忘却或者弄丢了自己曾经引以为傲的芳草鲜美的精神家园。

母树林中，古塔沉静，墓碑耸立。

岁月的长河，或许已经湮没了历史的辉煌与壮烈。

唯有那浓浓的绿色，不凋不败，于长风中轻轻颤动，似乎在向人们诉说着什么……

原载《中国绿色时报》1998年2月5日副刊

两色太阳

蛰居于北方这座小城,至今无缘一睹大海博大浩渺的姿容,更不能想象诗人笔下赞美海上日出的诸多情怀。百无聊赖的时候,逐渐养成了看天的习惯。云的多变,月的无常,星的招摇肤浅,远不及那颗千古恒定的太阳那般让人心境平静、坦荡。

日子久了,一个似乎并不鲜见的现象却深深震撼了我:太阳竟然是变色的!

只晓得人无常势,水无常形。没想到亘古已有的恒星太阳还有多变的时候。

一个黄沙飞舞肆虐的季节。

很多人或足不出户或全副武装以避沙尘

暴的侵害，谈论与感慨的无非是生态的恶劣和生活的不易。

而我却在这漫天黄尘中意外发现了一颗白色的太阳！

天是昏暗的，地是阴沉的，沙尘遮天蔽日。但太阳其实依旧挂在天上，只是显得那么孤立，那么无助。在脚下这块历尽磨难的黄土地上，生存的艰难不仅一代代考验着人类的耐心和毅力，也时时裹挟着猖獗的淫威侵蚀着自然界，甚至天空中高不可攀的太阳！我不敢断言别处的太阳会不会有白色的，只为此时此地，这颗白色的太阳黯然神伤！她于阴沉低垂的天幕中苍白着一张脸，面对粗暴无知的狂风，把燃烧了几十亿年的热力与能量默默收藏，那么惨淡，那么凄凉。她的火热，她的激情，她的亮丽，她的刺目，竟然于黄沙肆虐弥漫张扬的一瞬间，隐遁得无迹无踪。我曾经固执地以为她对万物普照的热情是取之不尽挥洒不竭的，她的高傲是永恒的战无不胜的和无坚不摧的。哪曾想，她炫目的光耀，历经层层剥蚀、冲击后猝然离开，竟是如此悲壮、如此凄美、如此苍凉。她白得清冷，白得冰凉，白得落寞，白得怆惶。她不愧是天地间最伟大的精灵！否则，她又凭怎样的坚韧与沉稳，将熔化真金的沸点收敛、冷却，凝铸成一轮圆圆的铁饼，冰冷且坚硬？

然而，四季中这样的时刻毕竟屈指可数。匆匆过客，又有几人会关注留意天空中这样一颗白色的太阳？

红色太阳则不同。

岁岁年年，她踩着永不更改的节奏东升西落，既从容不迫，又勤勤恳恳，从未有过一丝懈怠和钻营。世界因她而温暖、祥和。红色是她当之无愧被赋予被认可的颜色。这是一种大众熟悉的耀眼的红，七色汇成的无以割舍的红。但我至今仍倾心向往难以忘怀的，却是一次欣然领略到的高原落日的通体透红。那可是一颗真正意义上名副其实的红色太阳！红得饱满，红得沉稳，红得剔透，红得厚重。以至于时隔许久，每当想起薄暮时分空旷辽阔高原上的恹恹斜阳似乎随时随地准备着一跃而下的情形，我的心都会为她一揪一扯，生出丝丝缕缕乱纷纷的思绪，是震慑，是感动，抑或是触类旁通的一种顿悟，一时又道不明说不清。

那是一次旷日持久的塞外旅行途中偶遇的风景。

几千公里的行程没有慵懒与疲惫。先到风光旖旎的宁夏平原，又到美丽富饶的鄂尔多斯高原，再到伊金霍洛旗一代天骄成吉思汗富丽堂皇的陵寝，沿途纷至沓来的秀丽、壮美、广阔、博大,令一双眼睛奢侈感动得阵阵泛潮,一颗长久以来被封存被磨砺得锈迹斑斑的心被荡涤得轻轻盈盈,如洁白的羽毛,在阳光、沙滩、白云、蓝天、草原间飘飘袅袅,盘盘绕绕,恨不能生根长茎,如平原稻田里的一株苗,像高原草滩中的根根柠条、榆树或丛丛沙柳,只要能固守大漠的一片绿荫,点缀周围最天然的风景,守卫那些悠悠然吃草的羊群、马群,畅然享受拥有大自然的广博精深就行。而我只是一个游人,深知这美丽风景是大自然鬼斧神工赐予万物的,任凭谁都不可私自占有。其实呢,谁又会是大自然的主人呢?每一个人,又何尝不是负重的蜗牛,偶尔调整原有的行进路线,允许自己慢下来,甚至停下来,偷个懒,舒展一下肢体,活络活络筋骨,放松一下而已。更多的时候,还得缩进属于自己的壳中,按照自己的轨迹踽踽前行。

恰如本次旅程。屈指算来,几日几夜全速行驶,感觉行程也够远了,地图上一瞅,才宛若挂果不久的毛桃般大小的一个圈儿。慨叹祖国疆域的辽阔,自己见识的浅薄。

似还留恋,却早已归心似箭。

回程已至蒙陕交界。常言说:金窝银窝不如自己的穷窝。再向往的旅行，超过一周就略显疲累。汽车刚刚驶过棋盘井矿区，窗外的风景就如飞瀑倾泻形成了强大的落差，让人的心咯噔一下，由奔放、昂扬陷入无聊与憋闷。

天是灰塌塌的，天地混沌成一片毫无生气的土灰。乱石遍布的戈壁滩，几十里荒野竟望不见一个象征生命的活物。满目单调的灰色让人眼睛泛酸生疼，心境也似乎灰成了烦躁的粉末儿在空气中弥漫、扩散。耳边唯一的声音是汽车刺耳的轰鸣。油门已加至最大，车子已在狂奔了，似乎卯足了劲儿想尽快逃离这与生命无缘的灰色场景。正在这时，沉默得快要爆发的车厢中发出一片惊叹声：看，快看太阳，多么特别的红色太阳！

"滴血残阳"。刹那间，我的脑海就产生了这样一个概念。

天地相连的尽头，一颗红彤彤的太阳洒尽光热，似乎正在挥别天幕，与大地浓情话别。她捧出所有的余晖，将灰色的天宇浸染成金黄、赭红、紫橙的层层缤纷。不忍分离，别情依依，千般缱绻，万种悱恻，将告别的场景烘托得浓情蜜意又肃穆缠绵。因为此去一别，将是无尽的黑暗与死一般的沉寂。

"天若有情天亦老",这种人间自古咏颂赞美的至真至美,竟然在这最为荒凉,最为寂寞的高原黄昏中,被一颗通体透红的太阳阐发得如此真切,如此淋漓!

哦,两色太阳,你又是在把怎样的人间真谛喻示给我呢?

原载《北岳》2001 年第 5 期

明 月 如 初

那天,晚归的我拖一身疲惫带着年幼的女儿,匆匆行走在寂寥的小巷。心,乱糟糟的,被一些理不清的思绪缠绕着,懒得搭理女儿喋喋不休的问话。

寂寞不属于童年。

突然,女儿满含兴奋的稚嫩童音高叫道:"妈妈,妈妈,你看,圆圆的月亮!"

哦,月亮!我这才注意到,一轮美丽的圆月正晶莹地挂在天幕中。月色如洗,照着小巷中的房屋和地面。一切都显得那么温和、那么静谧,仿佛披了一层柔柔的薄纱。多么祥和的夜哟!我的心盈盈地漫过一阵清爽，刹那间为天空中的明月激动不已。

　　是忙碌，抑或是不懂生活情趣？总是为生计奔忙，行色匆匆，似乎许多年都不曾拥有赏月的逸致闲情了。

　　也许，是周围高大的现代化建筑限制的天地太过狭小；也许，是快节奏的城市生活带来的心情太过浮躁？似乎很久很久了，我都不曾留意去仰望或者关注遥远的天空中那轮金黄明月的阴晴圆缺。岁月的磨砺，粗糙了太多的人情世情，让人忽略淡忘了许多的人和事。今夜，皓月当空，是如此熟悉的场景，我心静如水。天地间时空变幻，往事如烟如云般漫上心头，让我骤然间追忆起童年时面对月光许下的种种心愿。

　　二十五年前，也是这样的秋夜，也是这样的月色，也是女儿这般大的年纪，我跟着母亲和哥哥站在月光下的旷野里，拉生产队分到的秋粮。那年，正值英年的父亲患肝病撒手人寰，我们全家的户口又被下放到了农村。年轻的母亲拖着八个孩子，最大的十九岁，最小的不足两岁。日子的艰辛和苦涩真是一言难尽。

　　秋天是庄稼人收获的季节，也是我们家最发愁的时节。孤儿寡母的岁月，每天都愁，每天基本都是在泪水和汗水交织中艰难度过。人口多劳力少，每天都要为"嘴"奔忙。哥哥上学前必须要牵着奶羊拴在学校的后山上,羊儿悠闲地吃草,他才伴着上课的铃声跑步下山气喘吁吁直奔教室。放学后,再打了猪草牵回奶羊挤了羊奶给弟弟妹妹吃。为了填饱肚子,孱弱的母亲用瘦弱的肩膀苦苦支撑着全家的生存重担。家里能卖的东西都卖了,为的是换成钞票上缴口粮钱。钱交了,玉米豆子谷子糜子还四分五裂一堆一堆摊摆在生产队的田间地头和打谷场,等待我们蚂蚁搬家似的往回搬。

　　深秋的田野冷风簌簌。仰望星空,明月如钩,繁星满天。我瑟瑟地站在地头,看体格略显单薄的哥哥利落地把成堆的玉米棒子一个一个往麻袋里装。好几次,哥哥把装着玉米的麻袋扛上肩,艰难地站起来,还没挪动脚步,腿一软,人就被压得后退几步坐在了地上。看着哥哥艰难的样子,我默默许下一个心愿:让明月赐我以力量,帮哥哥一把,快点把玉米拉回家。四周寂寥,冷月无言。现在想来,当年哥哥带着年幼的我,只是为了消除劳作的孤寂,间或对答几句无关痛痒的问话,壮壮胆量而已。

　　忘不掉月圆之夜的那一幕:哥哥吃力地拉着车子上坡,母亲在车后费力地推着。每一步都那么沉重,每一步都那么凄凉。好容易到了坡岇岇,车子一歪,拖着哥哥拽着母亲又狂退到了坡底。我揪着一颗心,使劲睁着一双瞌睡的眼，面对明月向苍天祈祷：保佑母亲和哥哥一鼓作气，把车子推到坡峁上，拉到平地里，千万千万别再滑下去。这样，我就可以早点回家，早点睡在温暖的热炕上，幸福地进入甜蜜的梦乡。

但车子还是推到半山坡又滑落下来。如此反复，几次险些连人带车翻到水沟里。我又急又怕，大哭了起来。母亲却不急不躁不气不恼更不灰心，她安慰我说："哭算什么本事，咱们想想法子，总会上去的。"车子驶到半山腰，母亲让我从路边捡起几块石头垫在车轮胎底下，满含赞许地对我笑笑，喘口气，歇息了一会儿。再用力的时候，车子果然顺利上到了坡顶，安然驶到了平地。哥哥将我抱起放在架子车上，一路轻松地跑着，吹着口哨，哼出好听的旋律。那是我记忆中童年里听过的最欢快的曲子。

我坐在车顶，仰望夜空中那轮圆月，俯看哥哥交替的双脚节奏均匀地飞跑。远处黑黝黝的山往后撤退，脚下的路面在月光下泛着白亮白亮的光，伴着哥哥的脚步如水在流。路边的小树在跑，头顶的月亮也跟着我们跑。我心里别提有多么快乐，多么惬意了。月是那么圆，那么亮；夜是那么温和，那么可爱。

时光荏苒，岁月如梭，转眼间我也做了母亲。经历了身为女人的艰辛和磨砺，方感到我的母亲柔弱的身子骨里蕴藏了多少刚毅和坚韧的美德。

至今无法想象，母亲当年是凭着怎样的毅力和心愿支撑着那样一个濒临破碎的家。她就那样沉稳平和，不急不躁不气不恼不灰心地走过了一生。

早已跨越了当年皓月下的心愿。

同样是母亲和女儿，月如初，人非昨。

我突然想告诉我的女儿，其实，你的母亲远不如我的母亲坚韧。

坚强的母亲本不该生出太脆弱的女儿的。母亲能走出一条生路，我何以就不能走出自己狭小恶劣的心境呢？

我聪慧的女儿，不知她此刻面对明月又有怎样的心愿。我突然想告诉她，地球、太阳和月亮是遵循一定的规律公转、自转，才有了白天黑夜日月星辰弦月与满月的差异。还想抱起她，唱一曲《弯弯的月亮》和《十五的月亮十六圆》。

沿途不再孤单。是歌声驱走了寂寞。

面对生活的险坡，想想办法，总能上去的。

愿我的女儿能微笑面对生活，走得坚强，走得自信。

原载《延安日报》

延 河 寻 源

听到"黄河的源头在哪里"悠扬高亢的曲调,我的心中骤然产生了莫名的神往。青海,巴颜喀拉,奇丽壮美的雪山风景,千年积雪孕育出伟大的黄河与长江。多少人怀着宗教般的虔诚顶礼膜拜,然而,攀登的艰难,路途的遥远,又足以让地处陕北腹地的我汗颜却步。

延河则不同。

多少年,我的耳边一直响着它的声音,或滔滔,或汩汩。延河的水很少有清澈的时候,浑浊似乎已成为人们对她永恒的记忆。夏季洪峰时节,汹涌的河水裹挟着大量的泥沙滚滚奔流，浓酽的泥腥味弥漫河道两岸，让人亲切，令人担忧。只有这时，独立延河大桥，你才能真正领略到"巍巍宝塔山，滔滔延河水"的韵味。

干涸也好，汹涌也罢，生于斯长于斯的延河儿女，不会因为她的细小而自卑，也不会因为她的雄壮而傲慢。她纤纤的流量在中国庞大的水系中显得微乎其微，她孱弱的水域在世界蓝色广袤的水域里几乎可以忽略不计。很少有人关注她的源头，就连长期享受她滋养的人们，匆匆的脚步也难得为她专程驻足。是忽视，还是无缘？总归算是一种缺憾吧。

当我的耳边再次响起"黄河的源头在哪里"悠扬高亢的曲调时，我已经行驶到靖陕公路沿线的安塞县镰刀湾镇。据史载，距此地不远处应该有一个叫芦子关的地方，是唐代著名的要塞遗址。芦子关岭地势险要，历来为兵家必争之地。当地还流传着"芦子关，芦子关，风萧萧兮近水寨，安得壮士控北藩"这样的话。延河的源头，就在芦子关岭底。

镰刀湾乡年轻的党委书记告诉我们，前往芦子关，乘车只能抵达延靖公路附近的小村羊石寺。从羊石寺到芦子关山路蜿蜒，受苦人徒步走也得从早晨走到太阳偏西，何况，延河的源头距芦子关至少还有三四十里地，路更难行。这位热心的党委书记是土生土长的安塞人，他没有去过延河的源头，但为官一方，地形地貌还是熟悉的。他狐疑地瞧瞧我们脚上的皮凉鞋和身上的裙装，言外之意是我们的装束就不像决心走山路攀险峰的人。

我理解他的质疑。身为记者，这点灵敏度还是有的。这样的装束也是经过考虑的：此行安塞县，我们主要是奔延河的源头而来的，但也做好了顺路采访的准备。近些年，安塞县发现了大量的石油天然气，不仅甩掉了贫困的帽子，而且，在短短的几年内经济已经跃居延安市前列。发现好的采访对象加以报道，岂不是两全其美？着装有碍行路算不得障碍，这里是乡政府，在街道两旁林立的商店里随便买套休闲装、一双球鞋，问题不就解决了吗？路险不要紧，拿出当年毛主席率军转战陕北百分之一的气魄和胆略来，已足够了。只要有顽强的毅力，还有什么困难可畏惧呢？

激昂的情绪是有很强的感染力的。

整装上路，没多长时间就来到了寻源必经之地羊石寺。听他们讲，羊石寺尚属贫困村，收成的好坏完全仰仗天意。

我们抵达时，恰逢一场暴雨初歇，遍地泥泞令人举步维艰。地头耕作的农人们很快围拢过来。他们中间没有一张沧桑的脸,完全不同于照片或油画中陕北老农满脸褶皱的形象,高原的烈日晒黑了他们年轻的脸庞却给了他们强健如塔的身躯。还有,一些穿开裆裤的娃娃们、纳鞋底的婆姨们不知从什么地方也拥来了,寂静的山村田间顿时热闹起来。

他们还以为我们是到对面神庙里还愿的,自告奋勇地推荐出一个年轻后生作为向导准备带领我们穿过稀泥漫过膝头的河道。这时,我们才注意到河对岸半山腰的绿树掩映中,依稀可见两个洞形的入口,那就是这些耕作者奉若神明的庙宇了。听说,在唐代,那里的确住过和尚的。羊石寺村头一片开阔地,就是当年进行商品交换的集贸市场,如今已经变成一片浓荫、硕果累累的果园了。今年风调雨顺,眼见是个好收成,难怪农人们乐呵呵地咧嘴笑呢。在他们看来,这都是神庙里并不存在的神灵保佑的结果。

当他们最终搞清楚我们是要去芦子关岭底寻找延河源头时,气氛顿时冷落起来。令人奇怪的是他们中间竟没有一个人去过那个在我们看来十分诱人的地方。他们七嘴八舌地说,去那种地方做甚,那地方甚也没有,况且他们的地又不在那里种。民以食为天,看来,有地种的地方他们才会去。事实上，许多荒僻的山岔沟洼都有他们用汗水浇灌的庄稼。我无意怪罪他们的不屑，反而对这群年轻的耕作者耿直、憨厚、质朴的言谈感到特别亲切。

山雨刚过，望着浑浊河道两岸高耸的大山，放眼寻找，看不到一条行人的小道，攀登的艰难可想而知。农人们说，顺河槽走的话，路平坦也开阔，但危险更大。大山深处，适逢雨季，暴雨说来就来，两岸高山上的滚山水哗哗哗滚滚直泻而下，顺着河槽汹涌奔流，人行其中，几十里也找不到一处藏身的地方，说不准就被洪流卷走了。冒险去那样一个地方，断没有人愿意做向导的。

失望，无疑是彻头彻尾的。

但我生就不是一个没有风度的人。为了掩饰内心的失意，我顺口向这群农人们聊起了今年的收成。话题再一次活跃了起来。

生态农业、大垄沟种植技术、油豆间套，这些新鲜的农业术语从庄稼汉的口中蹦出来，着实让我惊异和有些应接不暇了。庄稼人谈起庄稼来就像说起自己的娃娃，亲昵、投入、喜悦的情感溢满眉间。在乡党委书记的解释指引下，我看到了百亩大垄沟谷子和百亩大垄沟油豆间套相连分布的磅礴气势。扑向那一片绿汪汪的山野，我有一种想欢呼雀跃放声歌唱的强烈冲动。清风徐徐吹来，带着一股黄芥花蕊的馨香。黄芥是陕北用来榨油的经济作物，历来与豆子套种。这里的套种却有讲究：四行豆子、两行黄芥齐整地排列，高高低低层次分明，错落有致。豆叶厚重墨绿，似乎在俯身憋气养精蓄锐，力图结出颗粒饱满的种子。蜂蝶飞舞，黄芥被沉甸甸密集的芥角压得弓下了腰，似乎在与相伴一程的豆类作物低诉呢喃。听说，这里还有谷子、豆子、玉米、荞麦等长势良好的千亩示范点。那又是怎样的气势呢？我能够想象出秋收时节农人们脸上绽放的笑容，定然是灿烂的、舒心的、开怀的。

破庙里的和尚千年前就走了，唐代的繁荣并不曾给这里带来一丝半点值得骄傲的资本。面对先进技术带来的丰收，耕作者又有怎样的感想呢？

延河的源头没有找到，大约只能怪我来得不是时候。雨季过后，我们还会再来的。我甚至想把我的行程安排在冬季，最好是在一场大雪中，体会一下冒雪寻源的滋味。

我想，芦子关岭下，塞北银花散玉般的风光，一定会让人们的疲劳顿消。

原载《阳关》1998年第6期

◆ 雕刻记忆 ◆

延 安 绿
——谨以此篇献给延安退耕还林二十年

这些年,来延安的人,无论天上飞还是陆上行,无论高空鸟瞰还是地上观光,他们最惊诧的,就是这醉人的延安绿了。曾经到处裸露的黄土消退了,扑面而来的都是郁郁葱葱。湛蓝的天空,大朵的白云,明媚的阳光,几乎就是夏日延安的"标配"。绿树摇曳,草色青青,沿途的风景几乎令每一个似曾了解延安的人都吃惊不小,甚至以为误入了某个江南小城。其实,江南的绿是柔美的养尊处优的也是得天独厚和天生丽质的,断不会如此粗犷如此凝重如此大气。

这是一片辽阔的绿,在3.7万平方公里的土地上占据了80%以上的生态空间。而建国初期,这里的森林覆盖率竟不足10%。不能不承认,这是一个了不起的壮举。有一条振奋人心的好消息称:我们的地球家园,正在慢慢变绿。相比21世纪,如今地球表面的绿化面积增加了5%,相当于一个亚马孙热带雨林那么大。其中,中国发挥了绝对的中坚力量,贡献了全球绿化增量的1/4。也就是说,中国日益增长的绿色正在为世界环境增色。由此推理,延安大地的绿荫覆盖也就有了世界意义!

(一)往昔回首

人们记忆中的延安,是荒山秃岭,是沟壑纵横,是黄尘弥漫;是曾被联合国粮农组织专家断言"这里不具备人类生存的基本条件";是当年初来乍到的北京知青描述的"到处是光秃秃馒头一样的山,可恓惶哩!"但有句老话说得好:子不嫌母丑,狗不嫌家贫。对这片有着厚重历史积淀的土地,愈是知晓她的前世今生,愈会对她爱得深沉。因此才会有"我是黄土地的儿子"这般的深情倾诉,以及"几回回梦里回延安,双手搂定宝塔山"的荡气回肠与热泪盈眶。

据史载,这里曾经"水草丰茂,群羊塞道,牛马衔尾",她的富庶、丰饶和美丽也曾令人艳羡、令人倾倒。只是淌过历史的长河,历经"徙民实边"的人口骤增,垦荒以及战乱,她饱经岁月沧桑的容颜渐趋黯然。经历了太多的曲折和磨难,洗净铅华,沉淀下来的是深沉、隐忍和内敛。苦难也是双刃剑。在许多故事里,她几乎一直是沉默的、隐身的、被人遗忘的。但在她每一道沟壑纵横的褶皱里,都蕴含着凡人不能轻易解读的密码。她就是这样,一味埋头付出,只做,不说,像足了一个顶天立地的陕北汉子,受尽憋屈也死扛着,宁可打落门牙和着血水往肚里咽,也不会发出一声示弱的呻吟。不言不语不声不响并不代表不知不懂不疼。没有为什么,那就是一种刻进骨子里融入血液里的秉性:站起来是一座山,躺下去就是一条河。即使贫穷即使落后,她依然会迎着明媚的阳光站在空旷的黄土高坡上奋力嘶吼着火辣辣的信天游:"瞭不见那个村村哟瞭不见个人,咱们拉不上话话哎哟招一招手。"唱和与呼应的则是:"鸡蛋壳壳点灯半炕炕明,烧酒盅盅量米不嫌哥哥穷。"——生活虽然苦焦和艰难,但心中炽烈的情感和希望的火花从未熄灭,坚韧和魅力或许就在这里。有人说，在这个世界上，最让人无法抵挡的就是男人的柔情与女人的粗犷。而这两种独特气质，在这片土地上恰好兼而有之。

当代，当年。内忧外患，围追堵截。一段国人熟知的苦难岁月。一个弹丸之地，"忽如一夜春风来"，千家万户千村万巷一下子迎来了四面八方潮水般涌入的亲人。"长路奉献给远方／星光奉献给太阳／我拿什么奉献给你，我的朋友？"在面临生存与生态两难选择的危急关头，她如母亲般承载了生命中不能承受之重。全民皆兵，妇孺参战，后生们扛起枪杆血战疆场不畏流血牺牲，老汉们保障供给救护伤员不惜出力流汗，婆姨们女子们夜以继日缝衣纳鞋竞相支边。每个人都以自己的方式参与到保家卫国的行列中，毫无保留、倾其所有。无论是"自力更生、艰苦奋斗"的大生产运动、三五九旅南泥湾开荒种地，还是张思德伐薪烧炭深山中，都是为了养活一老家子人，为了能够活下去！为了生存，为了亲人，为了抗争，即便披肝沥胆，即使满目疮痍。她以母亲的情怀和气概，无私无畏，无惧风雨。"红米饭南瓜汤""小米加步枪"，难以想象的艰难博弈。红星照耀中国，光芒照耀世界，热血沸腾，魅力四射。她凭羸弱之躯，在世界的东方，支撑起一座了不起的摩天大厦。那又是怎样一种辉煌！

（二）植绿突围者

这片失血太多的土地被掏空了，也衰弱了。但摧毁的是躯体，摧不毁、消不灭、夺不走的永远是与生俱来的精神。失血太多，需要输血，更要造血。

穷则思变。一个特定的历史节点。

延安北部的一个小山城，曾因红色经典故事举国闻名，又因绿色崛起再度引发关注。天时地利与人和，穿越时空在这片英雄的土地再度巧合，是偶然也是必然。名城之所以出名离不开那里的名人，名人之所以成名也绕不开以他为中心引发的有名事件。历史总会有惊人的相似之处，在每一个值得记录的章节，都活跃着一些见识卓远的思想者，是他们的种种不甘与超前，推动了人类社会一步步向前。在这座陕北小城，有一位注定被载入这片土地绿色史册中的陕北汉子。因为他的果敢决策，竟然使这个小县城赢得了全国退耕还林第一县的美名。他也顺理成章成为第一个"吃螃蟹"的人。

"当官不为民做主，不如回家卖红薯"，任何时代，好男儿都有成就事业的雄心。经年累月的观察思考和反复琢磨，使这位主政一方的陕北汉子终于发现一个大家都熟视无睹的秘密：这片号称"十年九灾"的土窝窝，历来就是"春种一面坡，秋收半袋粮"，任凭汗水摔成八半儿就是打不出多少粮食。但周遭的那些树和草，从来无人问津，反倒是长得还挺聚劲（厉害）哩！是真正的野蛮生长。深思熟虑之后，一个大胆的设想诞生了："不种粮食了，就种树。"发起一场绿色突围战，或许还可以杀出一条活路。为了绿，他与同僚战友们一起请教专家，实地勘察和调研，精心参与制定了全县的退耕建设规划和详细科学的山水田林路治理规划。这是前无古人的创举，的确是"压力山大"，谁都知道高歌猛进可是为政大忌。没有前车之鉴，没有经验可遵循，完全是"摸着石头过河"。谁也不知道风会往哪一个方向吹。顺风顺水怎么都好说，成了，可以一路高歌美其名曰是为民请命为民做主锐意改革，是开拓创新是守土有责守土负责守土尽责。但如果搞砸了呢？不怕一万就怕万一，万一逆风，万一路遇险滩、暗礁、寒潮、霹雳，如何规避，如何防范，如何抵御呢？不敢想，不能想，就干脆不去想。开弓没有回头箭，"不畏浮云遮望眼"。如果瞻前顾后，如果犹豫徘徊，甚至前怕老虎后怕狼，计划就永远搁浅了。因此，只能置之死地而后生，哪怕背水一战，即使肝脑涂地。

勇者无畏。

心动不如行动。

慢不得也等不起。

绿色突围战，绝不是一朝一夕或者一人一力可以完成的，需要投入更多的人力物力，需要久久为功，不懈努力。

"赓续红色血脉，传承红色基因"绝对不是喊喊口号那么轻松的事情！这是一场自发的人民战争，一场由这片红色土地上的儿女们发起的绿色"人民战争"。这场战争满含悲情又慷慨激昂地拉开了序幕。

好事要办好也不容易。不少人被这个大胆的绿色顶层设计吓着了："哼，种树种草不种粮食，老百姓吃啥，难不成喝西北风去？""祖祖辈辈流传下来的耕地就是种粮食的，怎么能任凭你们瞎折腾！"质疑、犹豫、抵触、不屑、嘲讽，种种情形应有尽有。一场自上而下发起的变革，推行起来却是千种艰难万种苦涩。用一个崭新的思想理念去撼动一些个根深蒂固的思维模式，也许最有效的办法就是宣传，不遗余力持之以恒坚持不懈地宣传，以心换心。他走遍千村万户，田间地头，大会小会，茶余饭后，抓住一切可利用的机会。但任凭你磨破了嘴，跑断了腿，口干舌燥苦口婆心，说事实讲道理，晓之以理，动之以情，还是有人云里雾里似懂非懂，末了，又回到了原点：不敢，不动，不干！！！其实，杀伤力最强的，莫过于全身心付出之后却落得竹篮打水一场空的挫败感，真是让人欲哭无泪。也有一些明眼人似乎被一语点醒了，觉得反正世世代代在土窝窝里无奈无果地刨挖，还不是越挖越穷，连肚子也填不饱，还不如换条思路换个活法，大不了重新再来，索性就试试呗！他们纷纷表态说：甚能行咱就干甚，至少树不会亏人。

勤劳善良的陕北老百姓是服从大局的。

不管愿意不愿意，甘不甘心，乡里乡亲的，为了脸面也得硬撑着，最起码，分配的种树任务还是要如期完成的。他们投工投劳，在技术员的指导下按要求挖坑种树，"栽深不栽浅，栽实不栽虚，栽直不栽斜"，确保每一棵树都能成活。山高、坡陡，大部分树苗都是用肩扛、用驴驮、用人拉，人们用最原始最笨拙的办法，把所有的荒山荒坡都种上了树。那是1998年啊，距离全国性的退耕还林试点工作开始还有一年呢。

这个小县城就顶着各种压力，只留下三十万亩基本农田，一次性退掉一百五十五万亩坡耕地。在全国，首创了一个绿色突围的全新案例。

多年后的一天，他故地重游。

绿色采访团记者向这位已经卸任的绿色设计师提出了一个犀利的问题：当时作为一个主政小县城的"父母官"，完全可以"小心驶得万年船"，您怎么敢领全国之先提出绿色突围？难道就没有顾虑吗？无声，静默，无解。随访者惊奇地发现，这个白发苍苍的陕北汉子，此刻正神情凝重地望着漫山遍野的青翠绿海陷入沉思。许久，一行晶莹的泪水顺着沧桑的脸颊默默垂落。

有一种付出，叫无悔。

（三）大河有水小河满

退耕任务算完成了，老百姓的心里却熬煎难活成一疙瘩咧。尽管有各种各样的设计和规划，但在注重实际注重实惠的他们眼里，都是雾里看花，水中望月，远没有白米细面谷满仓来得实在。民以食为天，一分钱难倒英雄好汉。退耕后怎么办，树可以吃吗？大家心里七上八下的，真的没底呀。为了树，他们不仅放弃了粮，还牺牲了羊。为了树，许多老百姓把赖以生存的羊都卖了，心疼得痛哭流涕。对他们来讲，粮食是活命，放羊才是维持生计运转的"活钱"。大江南北走遍，无论南来的还是北往的，都觉得还是陕北羊肉好吃。那是因为放养的山羊在陕北的山洼洼上可以吃到一种名叫地椒的草，这种草也是一种调料，羊吃了地椒草，肉就没有了膻味，分外香嫩。但种树种草和放羊放牧又是一对不可调和的矛盾。羊的天性就爱啃树皮，一群羊走过，犹如"收割机"，树和草基本就没了。泛绿的山立马就像被剃了光头一般光溜溜的，只留下一层黑乎乎的羊粪蛋蛋。为了绿，这里实行了史上最严的封山禁牧政策，提倡设施养羊。政策也是双刃剑，圈养起来的羊，活动范围有限，养羊的成本相对也高，好吃的羊肉渐渐成为稀缺资源。"放羊娃"这个职业也永久性退出了陕北的历史舞台。这是后话。

"十年树木，百年树人"，这场没有硝烟的绿色战争注定是一场持久战。从1999年到2019年，一战二十年。

不知道有没有人思考过战争的实质是什么。不管专家怎么解答，我觉得最简单最通俗的回答是：打仗就是打钱呢。一场战争，如果没有强大雄厚的财力支撑，再怎么聪明的指挥官再怎么勇敢的士兵，一旦供给链断裂，弹尽粮绝，都是死路一条。

值得庆幸的是，小城里发起的绿色冲锋，不是孤军作战，很快得到了强力外援。那个陕北汉子的朴实想法竟然与国家政策不谋而合："要把黄河治理好，首先要把黄河中上游治理好。"地处黄河中上游的延安地区的植被好了，就可以很好地涵养水源。突围成功，首战告捷。"英雄流血又流泪"的悲情故事并没有在脚下这片土地上发生，所有的担忧所有的忐忑所有的不安都妥妥地得到了安放安置回归到了安宁。因为冲锋者的身后，有一个强大的祖国！

1999年8月，延安宝塔区燕沟治理区的山上，那位老人的声音铿锵有力："延安是我们革命的老根据地！当时，延安这么一点地方，这么一点人养活了那么大的革命力量，最后夺取了全中国。但是，我们也把你们的树林子给砍光了，现在要来还这个'债'，要把这个树林造起来。""你们不要种粮食了，你们就种树，把树种好了，黄河治理好了，黄河下游所增产的粮食比你们种这点粮食要多得多。""我把粮食调给你们吃……所以现在延安地区的人民，陕北的人民，要把过去我们革命时代的兄妹开荒改成兄妹造林！"

难忘那个激动人心的沸腾场面，难忘那些情真意切的话语，每每想起来就让人眼眶湿润。字字珠玑，句句暖心。强大起来的共和国不会忘记它的出发地！那一刻，所有亲历现场的人们，都真真切切感受到了什么叫心连着心，什么叫根连着根呢。有道是：大河有水小河满。这场绿色战争的胜利，最重要的原因还是祖国这个坚强的后盾给力！有了来自国家强力持久的政策性扶持，这场持久战才有了厚重的支撑，有了向胜利冲锋的一切可能。

"退耕还林，绿化荒山，个体承包，以粮代赈"，一诺千金。种树，国家给无偿提供树苗；粮食，国家无偿提供粮本，老百姓直接到粮店去领。退耕还林钱粮兑现的场面最壮观最是激动人心。村里，冷清许久的大队部的院子里人山人海热闹非凡。老百姓如过年一般兴高采烈地聚集起来，排队领取国家退耕补贴的粮食和钱款。当退耕口粮整车整车浩浩荡荡地缓缓驶入的时候，所有的担心所有的疑虑所有的徘徊都化作发自内心最真诚最美丽最灿烂的笑容。绿色补贴，成就了家国情怀，也实现了完美"双赢"：国家要被子，农民要票子！

　　"兵马未到，粮草先行。"有了广大群众的广泛参与，许多壮观的大场景大场面都出现了：千家万户治理千沟万壑，蔚为壮观。一锹一坑栽下去的不仅仅是树苗，也是口粮是钞票是希望是未来。还有更多的人，自愿自觉地加入"我为延安种棵树"浩浩荡荡的阵营中。曾记否，当年植树时节随处可见又让人热血沸腾的壮观画面：放眼望去，漫山遍野彩旗招展，各山各峁，都是星星点点的植树人群。从官方到民间，从干部到普通老百姓，用心用力用情，以"咬定青山不放松"的韧劲，心往一处想，劲往一处使。任凭新老交替，任凭人员更新，人们紧握手中的绿色接力棒，拼尽力气，奋力奔跑，一棒接着一棒跑，棒棒给力；一届跟着一届干，届届尽心。

　　伴随着绿色惠民政策的持续扶持、保障和支撑，二十年来，这片土地养育成就并塑造了一代新人。一些偏远贫困家庭的孩子也或多或少都沐浴了延安绿带来的丰厚福利，这份优渥的福利伴随着他们的出生、成长与成人。"放羊娃"背起了新书包，走进了学校的大门；女娃娃也不再是通过早早嫁人回报养育之恩。读书改变了命运，知识打开了视野，很多山沟里的孩子就是直接依托国家相关的绿色补助资金，顺利完成了基础学业，为未来打下了扎实的知识根基。

（四）绿化女劳模

在延安二百二十六万"播绿者"中间，有一位率先出征的绿色领头雁显得尤为耀眼。

她叫张莲莲，延安市安塞区雷坪塔村人。一个看似单薄娇弱的陕北女子，完全没有那种只是在人群中多看一眼就再也不能忘记的容颜。但她的人生远比整日挖空心思仗"狗血"剧刷存在感的"明星"以及"网红"精彩。出嫁的那天，从事多年林业工作、有着深厚绿色情结的父亲牵着女儿的手，唯一的嘱托就是传承绿色衣钵，播绿护绿。这个怀揣绿色梦想的新娘，从新婚伊始，就开启了和自己的新婚夫婿共同种树的漫长征程。而且，一干就是三十八年，寒来暑往，风里雨里，从来没有中断没有消停。三十八年里，她倾情投入，晨钟暮鼓、日月星辰见证了她的热情、汗水和奔波。她无怨无悔地为她守护的大山倾注了千般关注万般呵护，在荒山之巅在绿色波涛中本色出演了一部生动感人的大剧——"现代绿色筑梦行动"。三十八年里，陪伴她跟随她的除了相濡以沫的老伴和乖巧的儿孙之外，还有一百多把用坏的老镢头和三百多双磨破的手工老布鞋。三十八年的坚持和付出，换来的是绿树成林。最初栽种的那棵小水桐树，已经成长为需要双人合抱才能完全入怀的参天大树。如今，她家门前的远山近峁，二十多万棵树成就了一眼望不到边界的千亩林海。林海中，穿梭奔走着色彩斑斓的莲花鸡，叽叽咕咕地奔走觅食，为静谧的绿海带来勃勃生机。绿色成就了她，绿色也成就了富裕的生活。如今，他们的莲花鸡生态养殖场、山地苹果、生态循环发展，不仅富了子孙，也为周边乡亲们带来诸多的致富红利。

当初的新娘已经成为白发苍苍的老太太老奶奶了。她的"眼睛失去了光华，黑发泛起了霜花，腰身也疲倦得不再挺拔"，但她浑身上下的每一个毛孔都散发着美丽的味道。一双粗糙干裂的手，却把平淡的生活写成了一首壮美的诗，描绘成一幅大美的画。她"是天真，是庄严／是新鲜初放芽的绿／是一树一树的花开／是爱，是暖，是希望"，她才是人间最美的四月天。谁说女子不如男！

（五）沉甸甸的答卷

所有的非凡都伴随着数不尽的跌倒与创伤；所有的成绩都伴随着数不清的挫折与忧伤。

二十年风雨无阻，平凡而伟大的延安儿女在这片黄土地上摸爬滚打，战天斗地，谱写了一曲曲可歌可泣的绿色壮歌；二十年毫不懈怠，在没有先进设备和工具的条件下，发扬艰苦奋斗的延安精神，用愚公般的信念和坚持，克服重重困难，让许多的不可能变为实实在在的现实；二十年昼夜兼程，爬过的一座座山，跨过的一条条沟，蹚过的每一道河，流过的每一滴汗水和泪水，共同融合浇灌浸润，共同印染织就，演变成了漫山遍野沟沟壑壑深深浅浅葱葱茏茏的绿。二十年酣畅淋漓的付出，魔幻般地演绎出了一个看似不可能的绿色奇迹，那就是，让卫星遥感图上的陕北绿色边界一路向北延伸、推移了400公里，让每年注入黄河的泥沙由之前的2.58亿吨降低到0.31亿吨！

旅游旺季，徜徉宝塔山下、延河之滨，游客们不经意间就会看到斑斓的山鸡三三两两漫步河边优雅觅食，机灵的野兔蹦蹦跳跳，于花草丛中驻足、穿行。

那是一种意外的相遇，静谧中，刹那间萌生了一种柔软的欣喜，人与动物相看两不厌、相互不叨扰，即便匆匆对望一眼，也会于喧嚣中，让人顿然体悟到人与自然和谐共生的真实含义。难怪有专家说，延安的绿，等于重建了延安的生态系统。

当水草丰茂的山谷传来一声声狼嚎，当密林深处开始频频出现一度消失不见的原麝和金钱豹等大型野生哺乳动物的珍贵足迹，当国家一级保护动物褐马鸡的数量随着绿色崛起而逐年增加时，大自然的精灵们以它们生动再现的或倩丽或雄壮的身姿，慷慨地为这片黄土地代言，无声胜有声地向世人展现了一幅比任何枯燥数据都更具说服力的生态实景。

圣地蓝天，宜人宜居；还林还草，生态经济。

这方有着红色基因的土地上的人民用智慧和汗水向祖国递交了一份沉甸甸的满意答卷。人们终于有尊严且气定神闲地活出了祖辈们期待的"人样子"。当红彤彤的苹果缀满枝头，整片整片的果园红绿相间一望无际，如造物主的神来之笔一挥而就，不得不说，那场没有硝烟的绿色人民战争，我们打赢了，而且赢得漂亮，赢得精彩，赢得持久。

（六）绿色交响曲

辉煌不只属于过去，辉煌还在继续。重塑今日辉煌，不仅需要家国情怀，世界眼光，还需要国际视野。

强大的互联网，成就了我们的"地球村"。电子商务平台让越来越多的绿色农产品穿上了文化的马甲、插上了互联网的翅膀。

以苹果为主的产业后整理，因为智能选果线和冷气库的助力，使"洛川苹果""延安苹果"家喻户晓。"延长酥梨""延川狗头枣""安塞地椒羊肉""丹州花椒""子长煎饼""吴起荞麦醋""富县油糕""甘泉纳豆""劳山土鸡蛋"……数不胜数的区域性农产品形成的网络链接，使农人们足不出户，就可以实现农产品的"日行八万里"。网上一挂，顺丰、京东、邮政等等物流就会蜂拥而至；二维码一扫，这些知名的地方特色产品就会飞出山沟沟，飞出黄土地，飞向祖国的大江南北，飞遍世界的角角落落。当年在黄土窝窝刨食吃的陕北老汉，何曾想过世界竟会变得如此奇妙！

绿色改变的不仅仅是山川和大地，绿色也改变了人们赖以生存的生态环境，绿色更催生了这片土地的生态经济。

天高、云淡；绿水、青山。

这块黄土地终于告别了昔日的黄沙弥漫，拥抱属于自己的"金山银山"。延安绿，富了自己，也惠及他人。

（七）绵绵护绿情

延安的绿，是一镢一锹挖掘的绿；

延安的绿，是一山一峁织就的绿；

延安的绿，是一沟一壑连接的绿；

延安的绿，是一点一滴汇成的绿；

延安的绿，是一笔一画大写的绿；

延安的绿，是一年一月积攒的绿！

只有生活在这片黄土地上的人们，才会发自肺腑地感叹：这片绿，真的是得之不易！这片绿，是这块红色土地上掀起的波澜壮阔的绿色革命的丰硕成果，是绿染荒山的人间奇观！这片绿，绿得沧桑，绿得跌宕，绿得厚重，绿得深沉！

这片绿，我们送她一个别具一格且极富地标性意义的响亮名字——延安绿！

延安绿，绿了山川，美了大地，赢了民心。

延安绿，更让人们的脑海里根植了旷日持久的绿色生态理念，延安人的生命里也传承了爱绿、增绿、护绿的基因。

曾经有一位医生朋友半开玩笑半认真地说，同样的工作，干久了，基本都会患"职业病"。

特别有趣的一个现象是，在延安，身边总有那么一些人，经年累月与绿色事业结缘，爱绿护绿的绵绵情愫已经融入生命，浸透到生活中。特别是为这片绿倾注过太多心血和汗水的人们，似乎已经患上了难以割舍不易治愈的绿色职业病：清晨锻炼，看到有人攀附新近栽植的树就脸红脖子粗地和人家理论；小区里散步，看到有不懂事的孩子折枝新绿就呵喝制止；清明前后，即使虔诚肃穆地走在上坟路上，也不忘叮嘱偶遇的陌生人不要明火祭奠。有次同学聚会，恰逢久旱后的一场大雨，一位酒至半醺的从事林业工作的老同学突然摇摇晃晃地站起来举杯庆贺：好雨知时节，咱们的林子不会着火喽，为林业干杯——拿起分酒器，一口"吹"下。这些绿色职业病"患者"，无论走到哪里，只要看到一片新绿，他们都会习惯性地停下脚步，仔细看看山洼洼圪梁梁路畔畔上每一棵新树的长势，是枯了、蔫了，缺水了、生病了，还是活过来了、发旺了？心情也随着树的兴衰势头变得阴晴圆缺起起伏伏。

一种爱绿、植绿、护绿的心思已经生根发芽，植入骨髓，渗入血液，融入生命。

在他们看来，只有行走在脚下坚实的绿色道路上，才能够走得踏实，走得稳健，走得久远。

今夕何夕，我们的绿水青山，我们的金山银山！

原载《延河》2019年第9期

红色牵挂

雕刻

记忆

回家看看
——作家、知青陶正访谈

1998年岁末，陶正回到了延安。

与前几回不同的是，他是随一个剧组一起来的，带着二十集电视连续剧《回首黄土地》首映式，给家乡的父老乡亲贺岁来了。

延安宾馆中楼304号房间热闹非凡。

陶正乐滋滋地坐在那里，诙谐、幽默的谈吐让听者捧腹开怀。他能不乐吗？回家的惬意与舒心，是他享受到的与剧组其他成员不一样的礼遇。脚下的黄土不陌生，淳朴的乡音多亲切。对延安，陶正不是外人。瞧瞧围坐在他身边的人：当年的老乡，教过的学生，文学圈里的朋友，你就会知晓陶正的双重身份：他是知青，也是大家喜欢的作家。忆也忆不够的往昔，说也说不完的话题，多年未见，又哪里看得出些许生分呢？

游子回家，看一看，聊一聊，有一种久违的亲切、一股浓郁的亲情，畅所欲言，不需要谨小慎微，不需要字斟句酌，又是怎样地其乐融融？

我正是在这种氛围中走近陶正的。

刚听说要采访，他就犯起急来了。他笑吟吟地拱手相告，谦恭有加，态度却非常明朗：拒绝一切采访！他说："先看看我的'前科'吧，十多年了，我从来没有接受过任何形式的采访。"

为什么要拒绝？在当今，许多人做了芝麻粒般的小事却恨不能张扬吹捧夸大膨胀变形成一个大西瓜，他倒怪，响当当硬邦邦砖头厚的著作出了一部又一部，而且曾经，他的名字在当代文坛还真正火爆过那么一阵子，货真价实。为什么，面对媒体，他却一改往日一贯的潇洒气度，竟然变得如此羞涩腼腆且有些不近人情呢？

陶正说，他愧对延安父老。

这又从何说起呢？是创作还是别的什么？我想，

往往只有真诚的人，才会反思许多问题。

回顾当年陕北插队的足迹，陶正至今为自己在延川县关庄公社鸭巷村当老师的经历感到种种不安和歉疚。他在一篇题为《教学散记》的文章中详尽记述了自己当年从事教学的经历。文章隐去了背景、艰难的生活，呈现给读者的是一幅幅让人忍俊不禁的画面。掩卷长思，似乎那些人就在眼前，那些话就回响在耳边。一孔破旧的窑洞，一位血气方刚的北京后生，一群顽皮又可爱的农村学生，演奏出一曲陈年的老歌；后生手忙脚乱，学生们你方唱罢我登场。嘈杂与和谐，真诚与荒谬，在这里，都化作轻浅的笑。闹过、笑过之后，定格、闪现在读者面前的却是作者沉重的忏悔："如果我当时在教学中多下点苦，如果我把解放全人类的抱负缩小一些，如果今天的我再去当先生——"颤抖的心，潮湿的眼，饱含了多少懊悔、多少痛楚、多少辛酸。

这就是身为知青的陶正。

可惜时光不能倒流。

如果所有的假设都能够成立，那么陶正就不会跟随近万名北京知青插队落户到陕北农村，来到延川县关庄的鸭巷村了。他应该是从北京清华附中六七届毕业后，顺理成章地坐在环境幽雅的大学校园里吟诗写作书海泛舟，而不是热血沸腾地梦想着"篡夺"村里的党政财文大权，梦想着开天辟地干一场自以为是的大事业。

愧与不愧，历史与后人自有评说。

面对延安的采访者，陶正不能拒绝，也不好意思拒绝。因为"有愧"。

这话言重了。

一个没有责任心的人，一个只图索取不图回报的人，是从来不会言及"愧疚"二字的。

身为作家的陶正，从陕北这块土地上汲取了足够多的营养。当年插队生活的一点点，一滴滴，一幕幕，汇聚凝结升腾成一篇篇文章、一部部作品。陶正说他开始写作的时候根本没有什么功利性目的，他只是习惯性地用文学形式真诚地记录周围的生活、心境、环境、人情、感触，积累成素材，凝聚成文字，形成他最初的写作风格。

综观陶正20世纪80年代洋洋洒洒的作品，除去《魂兮归来》《逍遥之乐》《旋转舞台》之外，尤为引人注目的是陕北题材的东西，这就是他的四部中篇小说：《婆姨们》《老汉们》《后生们》《女子们》。

1982年，回京后的陶正又想村里人了。这思念，如蛇咬一般啃啮着他，让他茶饭不思，坐卧不宁。睁眼闭眼，眼前充斥的都是住过的土窑洞、和蔼的房东大娘，还有那群淘气的学生娃娃。

于是，他说走就走，打起背包，一个人悄悄地溜回了村。

他并不是刻意地以一个作家的身份去体验生活，他完全是在自己真诚的思乡之情驱使下"混"进村的。他记得村里的二十八户人家，他不忘给每家的娃娃们买一份北京的礼物带上。礼物不多，每人一份，收拾起来却是一个大背包。从北京到延安，从延安到永坪路口下车。他说，这背包开始不怎么觉得沉，一路背来却越背越重。他朝思暮想的鸭巷村距离永坪足足有四十多里地，他就背着那个硕大无比的背包，翻过一座山，走过四十多里路，硬是步行着回家了。

陶正笑着说：只想回家看看，没想到那东西（指礼物）背得人差点累死（笑）。

到家了，家人都在搞生产承包，在地里忙着农活，他也不能歇着。他跟着这个担红薯，又跟着那个掰玉米。转眼就住了一个多月。当时，回家的感觉，仅仅是这些。

但一旦回到北京,这感觉立马就不一样了。回家后听到的看到的许多人和事一涌而上,以一种不可阻挡之势向他冲来了。他被脑海里的故事和人物驱使着,追赶着,左右着,寝食不得安宁。他文思泉涌,一口气写了下去,一下子就写成了四个中篇。小说中的十六个人物纪实色彩很重,在生活中都能找到他们的原型。脉络上都以纪行的形式写出来,情节却是流动的。四个中篇十几万字,几乎是一气呵成,他在短短不到两个月的时间,就付梓印刷了。

瞧瞧,身为作家的陶正,回家的感觉有多好,有多妙!

随后,他又完成了《重叠的印象》《月光织成的网》两个长篇的写作。

认识陶正、了解陶正的人都说他这个人特别聪明,且极富才华。的确,身为小说家的他,又不拘泥于小说创作,大凡文学相关的领域他都尝试着一显身手。他报告文学写得漂亮,还擅长写歌词。1995年起,他又对电视剧产生了浓厚的兴趣,由他撰写剧本的电视连续剧《京城缉捕队》在影视圈颇有反响。

难怪文学圈里的朋友们开玩笑说:在文坛,陶正是手拿火枪乱抡呢!

别人不一定敢抡，也不一定会抡。而陶正，就敢抡，也会抡，既抡了，还抡出了五彩缤纷的火花。

当我问及陶正最喜欢自己的哪些作品时，他的回答却出乎我的预料。他说都不太喜欢，觉得自己的东西不够档次。他自我剖析说：我这人性格太平和，作品也就缺乏个性光彩，并不像有些作家的作品那样具备一种偏执的美感，使作者本人也万般珍爱。他甚至解嘲地说：所以，他们是搞文学的料，而我呢，只是工匠而已。

这些年，与80年代的火爆而言，陶正似乎写得少了些，沉稳了许多。是时间的久远淡漠了许多激情，还是纯文学在走下坡路给他的情绪和生活带来了干扰？客观的事实是，他作为北京歌舞团艺术创作室主任，职业的需要和责任自然分散了一部分精力。加之，身体健康方面的原因，让他总感觉体力不支。毕竟，文学是一件苦差事，既耗时又耗力。他笑着说自己是五脏六腑除了心还好之外其他都坏了。末了，他又说，兴许他的名字叫坏了，陶正，太"正"，反而框定了手脚，没有伸展的余地，因此才不灵活了。不知是玩笑话还是动真格的，五十岁的他突然童心大发，想给自个儿更个名。他煞有介事地仰起头，想了想，说叫什么好呢,干脆叫"陶正大"或"陶歪"得了。

语毕,四座皆笑。

陶正就是这么有趣的一个人。

事实上,他创作的脚步从来都不曾停歇过,他只是怀着一种恬淡的心绪在写,不再"发烧",不再狂热而已。新近,读者们还看到了他的短篇《对影成三人》和《游客列传》。作品中,他依然在探索,在寻找新的突破。

这次回家,不知陶正的感觉又是怎么个好法。我想,家就是家,家就是文学和亲情。家里的人不会因为子女的成败贫贱而改变骨肉情分。只要大家安好,就足够了。

我只想对陶正说一声:常回家看看,延安的父老乡亲常常念着你呢。

1998年,延安。原载《延安文学》

我 心 依 旧
——原北京知青李小康回延安考察散记

谈起知青生活，李小康感慨万千：那个时候，心是红的，血是热的，人也傻得可爱。"文革"时，知青们失去学习机会，不啻一个悲剧。可喜的是，陕北老百姓以他们的宽厚、质朴和仁爱的情怀接纳了我们。我们用自己的青春体验了处在社会最贫困阶层的老百姓的生活，与他们建立了胜似亲情的感情。这笔财富，每当遇到困难和挫折，总会成为我们强有力的支撑点。从这个意义上来讲，我们青春无悔。

◆ 雕刻记忆 ◆

梦里依稀双河村

提起志丹县双河村，李小康总觉得感情潮水翻滚。1969年隆冬，小康与一群北京娃一起携着铺盖卷儿和换洗衣物，坐在县革委会为他们准备的大卡车上，兴奋地唱着革命歌曲，在敲锣打鼓的欢迎声中，来到了陕北腹地深处的志丹县。

然而，当他们站在黄土峁上放眼看去时，映入眼帘的是馒头一样的群山，在冬日的阳光下泛着白光，特恓惶。那年，他年仅十六岁，满怀青春的激情和浪漫，立志改变黄土地的贫困，一干就是十一年。回北京时，他已经是年近三十尚未娶亲的老小伙子了。

也许他与延安的黄土地有缘，不然，为何千丝万缕总使他与它紧紧相连？小康的父母是"老延安"；爱人张凡也在志丹县双河乡康家沟村插过队（那时候，他们还不是恋人），是与众多知青共同接受洗礼的"新延安"。如今，他们的女儿已经十岁了。这次他们特意带她回来，就是让她看看爷爷奶奶爸爸妈妈战斗生活过的地方，赓续血脉，传承基因，让她了解延安，热爱延安，了却一桩他们两口酝酿许久的心愿。

几回回梦里，总梦见回到村里，不知是哪处的云烟，也不知是哪处的山峦，依稀记得就是双河村。村头那口老井还是那么熟悉，后山上传来的悠长悠长的信天游还是那么饱满亲切……

如今，延安地委、行署组织北京知青回延安考察，他的梦想终于成真。几个日夜的加班加点，他处理安顿好了手头的业务，一家三口踏上了回家的路。

亲不亲，故乡人。

远远地，坐在车上的我们已看到山洼洼上、埝畔上站满了黑压压的人群。那是康家沟的老乡们听到李小康、张凡夫妇回村的消息后，专门搁置了手头的农活，出来迎候亲人。

一下车，张凡就认出了她的师傅——当年的民兵连长、现在的村支书陈福才。是他，手把手教会了她干各种农活。寒暄之后，小康就把女儿李涵，乳名唤作"多多"的小姑娘推到人前说："这是我闺女，也是咱双河村的女子。"李涵机敏而又礼貌地脱口说了声："爷爷好！"张凡赶紧纠正说应该叫伯伯的——村支书与他们夫妇同龄。也难怪聪明的北京小姑娘弄错呢，岁月的沧桑、高原的烈日，已使眼前这张四十多岁的面孔过早地显出苍老，体态也略显龙钟了。接着，凤女、旺旺、双娃、根根，这些当年的小姑娘、壮小伙的名字被他们夫妻一一唤起。这些曾经熟悉的人，都不同程度经历了岁月的"碾压"，其中不少人日子已过得不错：有的搬进了新窑，有的拥有近百只羊，有的在路边开了食堂，有的搞生意赚了钱买回崭新的小四轮和大货车跑运输呢……那时穿着破裤子上学的学生娃，现在都已为人父人母了。李涵把他们从北京带来的礼物——带有圣诞老人头的自动铅笔和十二色盒装的彩色水彩笔一一赠送给父母朋友的孩子。礼物虽小，却凝聚了李小康夫妇的深情厚意——盼望家乡孩子们早日成才！

赵干妈颤巍巍地走来了，哽咽着拉着李小康和张凡，手不住地抖，眼泪在眼眶里含着，似乎在说："可把你们等回来了，我还以为今生今世再也见不着了呢！"李小康夫妇怎能忘记，赵干妈帮他们碾米、磨面、做饭的情景。远离家园的日子里，是赵干妈如母亲般知冷知热地关心着他们，生怕他们冻着、饿着。"娃们可不当（恓惶）哩，可好苦哩，天没亮就往山上送粪、背柴，细皮嫩肉的，硬是赶上了，那会儿咱村可穷啦，吃不饱肚子，苦又重……"张凡笑着说："别的倒不觉得什么，就是感到很瞌睡，总也睡不醒，常常拽着牛尾巴上山，闭着眼睛继续做梦。有一回不小心脚踝骨磕在耕犁上，好长一道口子，流了很多血，钻心的疼痛才使我从睡梦中清醒了过来。队长把我背到医疗队缝了几针，至今还隐隐的有一道疤痕呢。"

李小康打趣道："张凡那会儿能干着呢。记得一次从山上往下背青草，为了挣高工分，她和小伙子攀比，我背一百八十斤，她愣是咬着牙背了一百四十斤。中途摔了一跤，害得我挨队长批呢。"——队长是怕闪了她的腰。为了沤清肥，知青们清晨就挨家挨户地跑到社员家端尿盆，以便把尿液浇在自己的肥坑里早点制出沼气来，丝毫不理会那样会不会打扰人家睡觉，也不去顾及人家大姑娘小媳妇是不是会有许多的不方便。没有使用过大灶烧火，每当烧饭时，知青们总是手忙脚乱、满头大汗，把自己涂抹成个大花脸还难免缺醋少盐或者欠些火候，末了还得吃半生不熟的夹生饭。冬天，一日三餐都得在工地上吃，黄米馍馍白色冰碴手冻皲裂，鲜血染红锨把儿、镢把儿，滴在土疙瘩上，谁也不会喊苦叫累，那些都只是习惯了的日常。很累的时候，大伙儿会吆喝着起哄让队长唱支酸曲儿解乏，插科打诨，起劲儿也助兴，一曲下来不敢说如虎添翼却也乐得直蹿，浑身上下似乎顿增了许多力气。

往事如昨。亲热的家常话不经意的回顾，在我的眼前仿佛勾勒出这样一幅画面：轰轰烈烈你追我赶的劳动场面，一群满脸稚气的知青娃儿正头裹白羊肚手巾、腰系麻绳，有说有笑无拘无束地从工地走来……

午饭时分，村支书婆姨为我们烙了一盆荞面煎饼，硕大的饼子，卷着肉丝儿洋芋丝和自制粉条园子里的青菜，吃起来那个香哟，才真正是陕北一绝！张凡说，许多年没吃这么香的饭了，正宗的家乡味道。在北京，有时候特想吃这口儿，但买到荞面却不会做。在陕北几年，她学会了很多，唯独没学会烙煎饼，实在是遗憾。记得那年过节，队里招待知青就是羊杂碎和荞面煎饼，她一口气吃了八张煎饼，还觉得没怎么吃饱，却不好意思再伸手取了——那年头，吃不饱肚子的人太多了。如今，想多吃也没那时的胃口了！

李涵对烧灶火产生了莫大的兴趣。一整个饭时，她都圪蹴在锅台前不断添烧那些带刺的柴火，几次小手被扎破出血了也不吱一声，不知是想体验妈妈当年做饭的滋味还是觉得新奇好玩。直到饭后张凡笑着说：把多多留在这儿吧，不走了，帮阿姨烧火得了。多多才一蹦弹起，跟着我们继续探望亲人。路上，多多捡起几粒羊粪左看右看没搞明白，随后扭头问我："阿姨,这圆圆的、光光的、黑乎乎的东西是什么呀?"我强忍住笑说那是羊拉的屎,很好的肥料,不臭的。看来,李小康他们让多多放弃夏令营活动回到陕北探亲,就是为了让她学到许多书本上和旅游景点无法学到无法看到无法体验到的东西。

在双河豆制品加工厂,李小康见到了一个瘸腿的半老头,急忙迎了上去,拉住他的手,亲切地叫了声"三哥",并拿出早就准备好的香烟送给他。那年农田会战,不知道谁想出的"好"主意,一反常规,在山脚下挖土,不是自上而下而是自下而上:先在土塄下挖很深的一个坑,然后等土塄上面的土坎塌下来。这样的投机取巧,自然省力也能加快修地速度,但"三哥"的腿也因此被猝不及防塌下来的土压折了。邻村段家的女儿伤得更重,失血过多,县城医院又没有血库,是李小康毅然为她输了三百毫升血,才挽救了她的生命。当我问及他当时的感想时,他悠悠地说:"那时我已经调到双河公社搞团工作了,感到特愤懑,即使输了血,也觉得对不起朴实的社员们。"他不再说话,似又陷入了往事的回忆中——那会儿干活多卖力呀!战天斗地,修梯田、打水坝,修防空洞,盲目地干。有受伤的、累病的,也有送掉性命的……那水坝修得多漂亮呀，本来弯弯曲曲的河道，被人为加工修整得笔直而平坦，一味地追求美观却没有考虑河道的泄洪量。1977年，一场百年不遇的洪水让大家耗费几年心血修理的河道顷刻变得面目全非，真叫人心疼啊！那会儿为什么那么傻呀……在那些个岁月里，人们很少冷静地去想在今天看来并不复杂的问题。何况那时，李小康他们还是一群孩子呢！

老百姓总是那么憨厚，那么重情重义。血与脉的联系，早已使他们与这群北京娃建立了难以割舍的情谊。临别，"三哥"扛着一袋小米一瘸一拐地来到了乡政府，说什么也得让李小康夫妇带回去，说让现在在北京生活的那些原来村里的知青们，都尝尝家乡的小米饭，有空回来转转，乡亲们常念着他们呢。送行的人群依然是黑压压的一大片，东家是绿豆黄豆红小豆，西家是荞面软米南瓜子，有的还从地里挖了一大筐洋芋要他们带着……多多吃着小朋友为她摘的蛇麦（野草莓），好奇又纳闷地看着父母对乡亲们苦口婆心地解释着、婉言谢绝着。分别的时刻，她与那群新结识的小朋友也有点难舍难分了。

载不动啊，不只是那一包包沉重的土特产，还有那滚滚涌动的浓浓的乡情。

再回延安看母亲

延安变了，志丹也变了。解决了温饱问题的人们不只满足于粮囤里存满余粮，他们还在向致富奔小康迈进。

参观完县里的企业，也参观了延安的几个工厂，欣慰的李小康恳切地谈了自己的意见和建议，俨然是儿子回到自己家里，责无旁贷地出谋划策，共商家园建设大计。

李小康现在是北京华轻实业公司投资部经理，大学毕业后一直从事商贸经济工作。他说，延安是在前进，在发展，但与全国相比，延安仍被远远地抛在了后面。延安一个地区的财政收入抵不上先进地区一个县的收入。目前，技术、人才、资金方面的困难仍然困扰着我们。解决这一问题的关键就是要加强与国内国际市场的联系，在信息方面多下功夫。可以仿效珠江三角洲、长江三角洲的做法，结合本地实际闯出一条自己的路子。比如让本地的年轻人走出去，有条件的有基础的参加专业技术培训，没条件的可以到合资企业打工，开眼界，增见识，学技术，学成之后归来自己干。只有在与国内国际市场接轨的过程中，了解学习先进技术，才能彻底改变落后局面。否则，技术、人才、资金方面的困难将永远成为困扰我们的难题。

延安有丰富的资源优势，但在开发利用上，一定要避免盲目性。志丹县的矿泉水矿物质含量丰富，经技术鉴定，各项指标均已超过现已上市的其他矿泉水。有关领导在介绍情况时兴奋地说，可以考虑开发利用，打入市场。李小康分析道：志丹县城里人口按两万计算，延安市区内也不过十几万，加起来不到二十万的人口，市场狭小，交通又不便，别家的现已率先占领市场的矿泉水如崂山、大理等，无论质量、包装还是口味都已经达到一定层次，况且频频的广告使其在消费者心里也占据了一定位置。我们生产的矿泉水优势在哪里？矿泉水也不比食用油，并非所有的消费者都必需。不能有资源就上，盲目投资和立项实施办厂，生产出来的低档次产品没有竞争力，只能在本地有限的市场出售，入不敷出，只能成为地方财政的负担。志丹县的环状制品厂（利用土豆做深加工）、罐头厂的瘫痪停产不就是典型的例子吗？他的分析切中肯綮，令在座的地方领导折服。

在投资问题上，他的观点对地县的领导同志在思想上也形成了不小的冲击波。他诚恳地希望延安的主人们能把自己在全国的位置摆正，不要一味地只管摆出"圣地"这张王牌去招徕投资。在过去不重视经济效益的年代里这样做很灵，行得通，现在人们在走了许多弯路，受了许多苦之后似乎都明白了。延安应该以自身的魅力吸引投资，敢于让利，本着互利互赢的原则，让投资者有信心，肯出力，乐此不疲。

母亲毕竟是母亲，她理解儿子那颗拳拳之心；儿子毕竟是儿子，回到家里的他亢奋、激动，也心直口快直抒胸臆。李小康一腔热血，还不是为了家乡的亲人着想？过去，他把自己的青春奉献给了家乡，汗水滴进了黄土地，却始终为家乡难以摆脱贫困而苦恼；今天，他爱心依旧，深情依旧，他不再是当年那个只会抡起老钁头蛮干的傻小伙了，他要凭智慧和实力，为家乡多办实事，多办好事。

石油开采，浴室配件制造，这些项目小康很感兴趣。参观时，他认真地听，细细地记，不断地发出询问，仔细地分析。或许，他已成竹在胸。不久，他会再度回来，看望母亲。

踏遍千山万水绿，难忘家乡养育情。

黄土肥沃，黄土情深。

原载《延安文学》1994年第5—6期合刊

◆ 雕刻记忆 ◆

黄陵采风随想

庚子年十一假期刚过,中国作家采访团成员就纷纷从祖国的四面八方如约来到陕西省黄陵县进行采访。严格说来,我不算采访团成员,只是作为地方作协人员随团参与接待和采访活动。能以主人的眼光,追随客人的脚步,看熟悉的风景,别有一番情趣。

沮河岸边,桥山脚下,美丽的滨湖宾馆宾客寥落,采访团是唯一入驻的团队。往年此时,正值旅游旺季,满载游客的旅游大巴随处可见,装束各异的游客来来往往,滨湖宾馆一房难求,随处都是南腔北调、热闹喧嚣的游人。病毒还没有消停的意思,大多的人，基于安全考虑，更愿意禁足宅家。

这个季节的陕北天气和陕北人一样有个性，既温柔如水，也凌厉如冰。天看着很蓝，阳光刺眼，但早晚温差大，实际体感是"冰火两重天"。采风团每天出发前，都要根据行程安排和天气预报，讨论如何着装。我自然很乐意充当"穿衣指南"：衣服最好一件套着一件叠穿，混搭的效果是既时尚好看，又方便冷了加，热了减。

陕西省南北狭长，从北到南分为陕北、关中、陕南三个地区。尽管从地缘历史、人文习惯来讲，黄陵本地人历来不怎么认同自己陕北人的身份，觉得无论是开口说话还是饮食民俗，他们都更加接近关中地区的人。但关中人似乎也不怎么认同他们，不曾和他们产生些许共情，依然称他们陕北人。其实，在遥远的古代，轩辕黄帝部落就起源于桥山和北洛河上游，后逐渐发展强大，占据关中和中原。黄陵县按照行政区划归入陕北，但先天的隔膜无法改变。单说地道的陕北民歌和好吃的陕北饭，黄陵人打死也只能依葫芦画瓢学个皮毛和大概。

那天的采访主题是教育，需走进校园了解调研。

教育涉及千家万户，一直是全民关注的热点问题，也是一个沉甸甸的话题。自打1978年恢复高考制度以来，国家历尽千辛万苦，多少次调研，多少次摸索，多少次改革、试点、实践、推广，教育制度和状况得到了极大的改善，但一直以来，问题仍然不少，民间满意度有待提高。

抬头看天，硕大的蓝色天幕上，大朵的白云悠悠地、懒散地点缀着。偶尔一瞥，那云似乎是静态的，纹丝不动。驻足，静观，才发现它从不曾有过片刻的安稳，每时每刻都在缓缓腾挪着、变换着空灵飘逸的姿态。无论你看或者不看，念或者不念，它们都悠闲地飘在那里，轻盈着、婀娜着、变化着。路边的白杨树在阳光的照耀下，片片树叶迎风闪烁，亮晶晶的，忽闪着银色的亮片，很是好看。风，冷冷的，夹带着丝丝寒意。

第一站是县第一幼儿园。

一下车，就被孩子们童稚的喧闹声裹挟着、吸引着。特殊时期，幼儿园的防控措施比其他地方更严，每个人在进入校园前，都必须测体温、佩戴一次性医用口罩。校门外，并排的两栋教学楼投射的阴凉地，一字形列队欢迎我们的，是包括园长在内的清一色的女教师。穿堂风一阵紧一阵地刮过，让人禁不住直打哆嗦。女老师们都穿着整齐划一的紫红相间羽绒冲锋衣，看起来一个个都显得圆乎乎的，多了些保暖，少了玲珑曼妙身材的展示。职业的选择，注定她们都是一群务实的姑娘。寒风中的暖，远比"冻人"的美丽来得健康和踏实。一张张青春的脸上洋溢着真诚的笑容，热情的握手，传递来一丝丝冰凉。或许，能请来国家级的文学大腕儿莅临校园，对于黄陵县的师生来讲，也算开天辟地第一次了。隆重，表达的是尊重也是发自内心深处的敬意——不知她们在穿堂风中站立了多久。其实，大凡写作的人都是真正意义上的工匠，一字一句地打磨雕琢，远比一般从事体力活儿的人身累心累脑累。大家都同样是干活的人，原本犯不着搞如此场面化的迎接。这些正值大好年华的靓丽女子，本来走到哪里，都应该赢得呵护赢得怜香惜玉呢。只是在这样的"女儿国"，她们却都是顶天立地的"女汉子"，既无香无玉，也无人怜无人惜。

听说，在我们幅员辽阔的祖国，地不分南北，城不分大小，无论走到哪里，幼儿园教师普遍都是女性。偶尔，也有男性教师"杀"进来，那可算得上是"极品大熊猫"般的存在，只是"存活率"极低。一旦机缘巧合时机成熟，他们就会争先恐后一个个"鲤鱼跳龙门"，完成华丽蜕变，"挥一挥衣袖，不带走一片云彩"。据权威部门统计,就世界范围来讲,男性幼儿教师缺乏也算得上是一个国际化的问题,只是西方发达国家的男性幼师比我们国家的比例稍许高一些而已。唯愿在黄陵,在陕西,在祖国其他地区的幼儿园,会有为数众多的男老师男园长愿意为了祖国的花朵儿勇敢加盟,渐次现身。

多年前,也是这样的开学季。

我陪同上级教育部门的官员视察所辖区域幼儿园的工作。走遍全县十多所幼儿园,代课教师清一色为女性,竟然没有一名男老师。偶然出现的几个男性,不是后勤厨师就是人事部门统一招聘的保安。走进教室,孩子们乖巧地坐在小板凳上,老师喊"一二三,手背后",然后就是整齐响亮的问候声:"阿——姨——好!叔——叔——好!"细声细气的,拖着长长的尾音。如果不是亲眼看到教室里数量过半的小男孩,任谁都会以为是一群嗲声嗲气的小女孩在撒娇卖萌。在与孩子们的互动环节,这种感觉尤为明显。小男孩们说话的语气、神态和腔调,与小女孩如出一辙,不愧是一个老师带出来的。

在陕北,"丧偶式"育儿由来已久,见怪不怪。

陕北男人普遍大男子主义,大多不屑于家务,也很少陪伴孩子成长,"女主内"是常态。似乎娶妻就是为了让她们"相夫教子",洗洗涮涮压根儿就是婆姨女子们的事情。许多女人抱怨说:孩子睡了,当老子的酒足饭饱才回来;孩子上学走了,老子的还躺在被窝里梦周公呢。时间从清晨到夜晚,孩子从婴儿到少年,成年男子对子女成长教育的影响力微乎其微,越没本事越会窝里横。

形势严峻如此,一些电视娱乐节目还在推波助澜:"选秀""反串",华丽夸张的耳环、项链、戒指、首饰配饰以及装扮,哪样儿都不比女孩逊色;涂脂抹粉、描眉画眼,花摇柳颤,假女人比真女人更女人,更时尚更娇媚更亮丽。一些大都市更前卫,黄金地段的店铺灯箱广告招牌上,硕大的文字醒目地写着"男子俊颜馆",据说车水马龙,生意很是兴隆。我没有近距离接触过所谓的俊男,总觉得大男人敷面膜、修指甲之类,与传统审美有些违和。也许,多元化时代,存在就合理。但相信大多数人如果审美没有出现偏颇,还是会觉得应该尊重角色定位,守住性别底线,最好不要玩儿越界。否则,未来的丈母娘择婿就犯难了。试想,天下女儿,如果找了这样的姑爷,且不谈伟岸、依靠、顶天立地了,恐怕连日常的穿衣打扮都会纠纷不断，买回一盒化妆品，不知道该往谁的脸上涂抹。但凡有个天灾人祸，不知道此类的姑爷会不会哭得梨花带雨，或者吓得体面全无。天下女人，谁不想有个温暖的怀抱结实的肩膀去依靠？谁不想小鸟依人寻一处遮风挡雨的地儿栖息？如果男人不再有男人的责任和担当，更多的女人只能被逼成为"女汉子"。

总在担心，如此下去，祖国的明天和未来，还会不会再有冲锋在前、保家卫国的男子汉。

值得欣慰的是，多年以来，我的辖区内已经选聘了一些小学的男校长、幼儿园男园长和数量可观的低年级男老师，而且，他们都干得不错，在考评中多次被评为优秀。

一切都在悄悄地改变。今天的教育界，已经在提倡"文明其精神，野蛮其体魄"。学前教育和小学阶段男老师缺失的现象也在逐年改变。相信未来，大江南北，不乏英雄少年。

眼前的黄陵幼儿园院落宽敞，有亮丽的塑胶场地，明媚的阳光，清新的空气，到处是任意撒欢儿奔跑游戏的幼儿：荡秋千、溜滑梯，蹦跳着、追逐着，红通通的脸蛋，大汗淋漓。孩子们专注于自己的游戏，偶尔回头看一眼这些"闯入"的陌生人，又自顾自地沉浸在自己的玩乐中。我们身边，园长在介绍灵动校园文化、培养"灵动的孩子"。

操场拐角处，横亘着一棵粗壮的柳树，枝叶婆娑，迎风摇曳。园长说，这棵柳是修建过程中刻意保留下来的。为了它，幼儿园的设计图几易其稿，工人们在施工过程中也是绕着它，倍加小心、倍加呵护。柳树是本地最普通的树种，也极易成活成长，所以有"无心插柳柳成荫"的说法。春风吹过，在诸多树种里，它总能率先嗅到春的气息，第一个萌芽泛绿盛装出迎；寒冷袭来，它依然垂着长长的枝叶迟迟不愿退出守护的领地，尽心尽力为人世间多保留一些绿的诗意。如此粗壮的老柳，是需要几十年的积淀和成长才会有如此茂密的树冠的。建设者变了观念，老树的回报是绿意盎然。那份浓浓的厚重的生命之绿，是无论花费多少金钱付出多少人工努力都无法复制的。如果放在前些年，生态理念尚不被重视不被提及，在满眼只在乎工程进度、只嗅到几板铜钱味儿的功利者手中，十有八九，这棵老柳是逃不过被粗暴砍伐的命运的。

柳树是幸运的，孩子们是幸福的。

若干年后的某一天，他们追忆童年，许多故事枝枝蔓蔓，定然会与园中的柳树交叉缠绕，枝叶相连。

洋气的教学楼、经年的老柳树，相映成趣，给这座幼儿园平添了几分天然的厚重和别样的气势。

　　幼儿的世界，铺天盖地的都是种类繁多的玩具。除过滑梯蹦床等几件大型设备外，许多好看的玩具装饰都是老师们自制的手工创意作品。仔细看，原材料竟是一些废旧的汽车轮胎、易拉罐、饮料桶、锡纸、牛奶纸箱等，经过巧妙的染色、精巧的装点组合，都变成了生动的艺术品。教学楼有敞亮的阳光屋顶平台，可以保证雨雪天气释放孩子们贪玩儿的天性。楼后有植物园，种植了少量日常蔬菜，孩子们可通过亲手栽种采摘，知晓餐桌上美食的前世今生。一个大沙坑里，一大堆花花绿绿的小铲子、翻斗车、大卡车、小塑料桶，一群小家伙或跪或趴或蹲，正玩儿得不亦乐乎。大班的教室分隔成大小不等的主题区域：舞台前，两个小女孩在梳妆台前拿着梳子扎小辫儿，挑花插发，精心准备着登台前的装扮；几个小男孩忙忙碌碌地搬动着大大小小的积木，构建自己的"厂房屋舍"；戴了小厨师帽的小厨师挥舞着炒勺有模有样地炒菜做饭，小小服务员系着围裙忙活在餐桌前擦拭桌椅摆弄碗筷；一组医护人员，在白大褂、听诊器、护士服营造的氛围下，正忙碌而紧张有序地给生病的洋娃娃诊治、施救。中班的电子白板上，老师正在用投影仪播放教学幻灯片——一只飞舞的绿色蜻蜓。孩子们手握画笔，静静作画。一个小男孩画的蜻蜓，戴着墨镜，手持利剑，威风凛凛地站立着；一个小女孩的蜻蜓，身穿紫色飘逸的裙装，头戴黄色蝴蝶结，带着两个小蜻蜓展翅飞翔在花草间觅食，飘飘欲仙又其乐融融。环顾四周小朋友的画作，竟然没有一个小孩画出的蜻蜓与投影上的画面雷同。投影上静态的蜻蜓，早已在孩子们丰富的联想中幻化成自己心中的模样。小班的孩子们看起来懵懵懂懂，随着老师的歌声比画着简单的手势，左顾右盼，萌态可掬。角落里，一个小男孩一脸悲戚，嘤嘤哭泣。周边的热闹与他无缘，同伴们的歌声似乎更加深了他离开妈妈的伤感。看到走进的人群中没有妈妈，更是鼻涕和着眼泪，哭得稀里哗啦。老师笑着走过去，拉起那只小手，把他拥入怀中，轻声细语，似在软语抚慰。新生入园，犹如婴儿断奶，总得有一个适应期，老师早已见怪不怪了。也是呢，痛苦和泪水是成长的必需品，父母的羽翼永远不可能遮蔽漫漫人生路上的所有风雨。

园长说，"培养灵动的孩子"是她们的办园宗旨，让孩子们在玩儿中学，在学中玩。我知道，在前些年，国家已经出台了《学前教育三年行动计划》，摒弃幼儿教育小学化模式。刚开始，老师不适应，无所适从，不知怎么教；家长不理解，觉得学校不教学岂不是误人子弟？！大家坚信孩子"不能输在起跑线上"，于是，各显神通，甚至调动关系，"逃之夭夭"。只是逃了没多久，就似乎理解了，接纳了，又返回了。

今天，如果他们来到这里，看看孩子们灵动的样子，看看孩子们笔下形态各异的蜻蜓画作，是不是会欣然安然释然？

自古以来，永恒不变的就是变化。

只是，这变化一旦涉及每一个人，就显得分外凝重。

黄陵县初级中学的座谈，让这份凝重变成忧心和忐忑。从老师们的陈述中，我方晓得，原来"一考定终身"的高考压力已经远远不及中考带来的"压力山大"。

最新的变化是：普通高中录取率下调了，提高了职业高中录取率，初中毕业生"五五分流"。这就意味着有一半的初中毕业生与高中无缘。原以为上大学难，现在才知道上高中更难。敞开的中职学校大门与紧锁着的高中大门之间，山崩海裂般出现了一道无法逾越的鸿沟。十多岁的孩子，面对人生的第一次分水岭，面对未来命运的重大抉择，甚至连选择复读的机会都没有。难怪老师忧，家长愁呢。

运行多年的"精英教育"培养了多少精英？从胎教就开始的教育又成就了几个天才？见过一些小孩，小时候活泼好动，聪明伶俐，人见人爱。穿过小学和初中阶段的时间隧道，就变得目光呆滞、行为木讷，仿佛换了一个人。高考结束，邻居的孩子当着父亲的面直接把书包扔进了垃圾桶；校园里，雪片一般飞舞着课本作业和试卷撕碎的纸屑。一些文科生不食人间烟火地浪漫，一些理工生不解风情地偏执木讷。一些大学生毕业后不能融入社会，这里苦，那里累，高不成低不就地空中飘着，挑三拣四，眼高手低。高分低能的书呆子，大有人在。智商（IQ）、情商（EQ）、财商（FQ）三大不可或缺的素质，我们究竟拣拾了哪些，又丢弃了哪些？

当下，职业高中如庶出的丫头，在全社会似乎都不怎么受待见。所谓的高素质、高技能职业人才，听起来蛮好，但不幸"中奖"的家长和学生，又都觉得臊得慌，犹如众目睽睽之下挨了一记响亮的耳光。似乎，孩子们在懵懵懂懂中，就被无情地剥夺了高考考场上同场竞技的权利。好在，一切，还正在进行时，一切，都还在探索，一切，都为了更好。

成才，成为怎样的才，似乎也没有标准答案。无论如何，生存应该是第一要务。

作为本次采访的东道主，有两条最新消息值得分享：一是来自2020年12月9日《人民日报》的新闻报道。教育部公布，目前，全国共有职业学校1.15万所，在校生超2800万人，已建成世界规模最大的职业教育体系。二是来自2020年12月8日《爱黄陵》的报道，曹景睿和樊家旭两位同学在"全国中小学信息技术创新与实践大赛"中获得全国总决赛小学组二等奖。

小县城勇挑全国赛，首战告捷，全县振奋。

四季更替，日月轮回。

变，是趋势；变，也是必然。

天上的云在变。世间诸事，永恒不变的只有变化。

原载《中国作家》（纪实版）2021年第5期

终于懂您

那天的雨，下得出奇地大。

伫立在您毫不起眼的墓碑前，我心潮澎湃。与其他共赴井冈山参加党史学习教育的同学不同的是，我还藏着一层别样的情愫：二十多年前，我曾有幸见过您，还挽着您的手臂，搀扶着您一起走过一段台阶呢。

那是 90 年代初，您回到延安，应该八十多岁了。我作为一个刚刚走出大学校园的工作人员参与接待。记忆中，您朴素、瘦小、和善，不怎么爱说话，很安静，也很慈祥，气质很好，一眼望去，和邻家普通的老太太没什么两样。大家对您毕恭毕敬，崇拜有加，以眼神、语气、神情等肢体语言告诉我，您不同寻常。年轻的我，仅仅简单地认为：您是老革命、退休干部，又是副国级干部的夫人，如此多的光环，无论哪一样，都理所应当得到悉心服务和照顾。

那时候没有百度，仓促中我也没有及时翻阅相关资料对您进行深入了解。年轻贪玩不懂事，来去匆匆，一切一晃而过，虽然见过您，其实根本不懂您。

手中的雨伞几乎承受不起密集厚重的雨点，伞内的毛毛细雨打湿了头发。双眼迷蒙，脸颊湿漉漉的，是雨，也是泪。脚下，积水哗哗哗沿着山路蜿蜒流淌，四溅的雨花漫过裤脚打湿了裤管，潮湿与冰凉顺着小腿往上攀爬。尽管气温并不低，但大风大雨裹挟着湿气缓缓扩散，透心的凉意传遍全身。

这雨，一连下了几天，都不似这般大。此刻迅猛倾泻，或许，冥冥中，是老天要以这样的方式提醒后来者：勿忘历史，勿忘前辈；或许，多元化时代的我们，特别是更年轻的下一代，早该接受一场灵魂的洗礼了。

小井村，一棵香气四溢的桂花树下，您的一部分骨灰安放在这里。生前，您以常人不解的方式为自己即将熄灭的生命做了交代：我的遗体先交医院解剖，有用的留下，无用的火化……一部分埋在井冈山一棵树下当肥料。

以您的名气，以您的身份和地位，以您毕生的贡献，无论怎么阔气的陵园都值得您去安息。但安静地回归，是您的选择，是您的临终嘱托，只能依您。

一块不大的石碑上，"魂归井冈山——红军老战士曾志（1911.04——1998.06）"。寥寥十二个字，是您的全部生平。我们注意到，"红军老战士曾志"七个字，歪歪扭扭，略显青涩和笨拙。经了解，才知这些字背后的辛酸故事：字少情长。这几个字，是一个名叫石来发的人描出来的。不是"写"，是"描"。他没有进过学堂，在井冈山当了一辈子农民。他，就是您流落民间几十年的长子。分别时，他是襁褓中的婴儿；再见时，他是二十四岁的小伙子。你们母子一场，他何其不幸，从没有在您膝下承欢；他又何其有幸，可以用庄稼人粗糙的大手第一次拿起毛笔，一笔一画，为亲生母亲的墓碑描红落款。

如今，他也走了。你们母子终于可以在当初分别的地方团圆了。青山翠竹为伴，此后永不分离。

墓碑一旁，是红军医院旧址。当年，您是这所红军医院的党支部书记，年仅十七岁，身怀六甲。您强忍着失去第一任丈夫的悲痛，带领战友们从不多的军饷中拿出钱来创建了这所红军医院。由于告密者的出卖，房屋被烧，资料被毁，一百三十名伤病员全部被敌人枪杀。他们中间，被后人知道的有名有姓的只有十八人。更多牺牲了的战士来自哪里，是谁家的孩子，又是谁家的夫婿，已经永久成谜。他们都是您挚爱的战友。您说，您是一个革命的幸存者，说明您一直记得他们，从来不曾忘记他们。七十多年后，您魂归井冈山，回到战友们的身边。生前相随短暂，死后一起长眠。

　　站在这里，跨越时空，我开始读您，慢慢懂您。

　　您的生平经历和事迹，各类媒体都以不同的形式记录和传播着。还有一个更权威更真实的读本，就是您断断续续耗时三十年完成的四十余万字的回忆录——《一个革命的幸存者——曾志回忆录》。只要愿意，只要能静下心来，稍作停留，动动手指上网搜索一下，了解与您相关的故事很容易。只是很多追逐个性崇尚偶像的年轻人，信息时代之于他们，也算双刃剑。海量的碎片化信息推送，浮躁、喧嚣、热闹，年轻人最容易被领跑，被带偏。新近，引发网络热议的"躺平"话题，让人吃惊地发现，当今社会还真出现了一批"躺平族"。但我相信，主流人群依然会被您的信仰您的精神您的人格魅力深深吸引和感动。

从十五岁参加革命到八十七岁离世，从戎马倥偬到和平年代，在人生的每一个章节，您都活得真实、通透，也生动。

身为女人，您是一个让人惊艳的存在。有人用"纤柔秀丽，优雅脱俗"形容年轻时的您，您绝对担当得起。生逢乱世，您立志要精忠报国，当巾帼女英雄。您说：我就是要为我们女人争口气！您的确做到了。如果说温婉美丽的容颜是天生的，那么，您丰富精彩的人生完全是不竭的奋斗争取的。您经历过所有女人经历过和未曾经历过的艰难和坎坷，您干成过绝大多数男人都不曾干成的大事业。在残酷的战争年代，您的个人生活也充满曲折和磨难，但您的三任丈夫，人人出彩，个个出色：两任丈夫为国捐躯，一任为副国级干部。不论人品才华还是能力，他们都可谓人中龙凤。您的择偶观应该是追求志同道合，精神高度一致。仅此一点，即使是今天的年轻人，都不得不为您点赞。身为女性，您对伴侣的爱，是尊重自己内心的呼唤，从来没有因为他们的出色和强大而显得低微，甚至低到尘埃里去。您本可以攀缘如凌霄花，本可以停靠在爱人的港湾，做一个不那么辛苦的小女人。但您却处处冲锋在前，单枪匹马闯天下，任凭风吹雨打，生生依靠自己的实力，活成了大写的女人。

身为母亲，您更令人唏嘘咋叹。您先后为三任丈夫生育过四个孩子：三个儿子，一个送人，一个夭折，一个残疾。与哥哥们相比，只有女儿陶斯亮算是幸运和幸福的。但她的生活中依然缺失母亲的身影。她觉得母亲很远，远到记忆中找不到母亲的温柔。那个因病致残的儿子的命运，比留在井冈山当了一辈子农民的哥哥更凄苦、更悲惨。十七岁被母亲找到时，他孱弱的身躯看起来最多也就十一二岁，弱得让人担心，瘦得让人心疼。后来，他也是凭借自身的努力，当了一位普普通通的工人。至于他对自己母亲的情义，想必外人是无法揣测的。试想，人世间哪个母亲不爱自己的孩子？是什么，让水一般充满柔情的女人，面对骨肉分离，竟可以强硬如铁，坚如寒冰？都说母子连心，但在您心中，自己首先是一个革命者，其次才是一个母亲。

唯如此，才能懂您。

身为职业女性，您嫁得好，干得更好。女儿心目中的母亲，漂亮、能干、英姿勃发，一心扑在工作上。身居高位，您很惜权，以至于吝啬到不愿动用手中的权力为远在井冈山务农的儿孙们谋取一个工作岗位或者解决一个小小的商品粮户口；您也用权，在自己的权力、职责范围内为国家选拔、培养了很多优秀人才。您总是以国事为重，关心年轻干部的成长，关心青少年的教育。您在不同的场合不同的平台不停地呼吁："忽视对下一代的正确引导，忽视下一代全面素质的提高，甚至娇宠下一代，同样是一种腐败，同样危及我们民族的兴亡。"如今听起来，这声音依然响亮，依然振聋发聩。

您的三位爱人都没有陪您走到生命的终点。最后一位爱人去世后，您用自己孤单前行的身影告诉天下人，什么才是一个女人的坚定。

退休后，您迅速完成角色转换，压抑的母爱尽情释放：您拒绝接受女儿一家添补的伙食费，用自己并不算太高的工资悉心照顾晚辈的学习和生活。您说自己不是良母，但晚年的您，是孩子们心目中最慈善的姥姥奶奶和太奶奶。您心里装着全部亲人。您瘦小柔弱的双肩，成为一大家子人谁都离不了的支撑和依靠。您把一个良母晚来的爱全部倾注到第二代第三代甚至第四代人的身上。您辛苦操劳，吃剩饭剩菜，捡别人不穿的衣服穿。这近乎不合情理的简朴和节约，让没有经历过苦难磨砺的晚辈们难以认同,以至于纷纷"逃饭",以示对抗和不满。但这些,丝毫不会削减家人们对您的接纳和敬重。

纵观您的一生,自私吗?最无私。无情吗?最长情。

丈夫赠给您的诗句"感君情厚逼云端",就是对您身为人妻的最真认可和最高赞誉。女儿深情地说:"我的母亲不仅是一位职业革命者,也是一个好母亲。如果给我一百个来生,我还一百次选择做我父母的女儿。"即使那个没有吃到商品粮没有求得工作的农村孙子,也这样说:奶奶留下最宝贵的精神财富,就是教会我们如何做人。

您说:我对我选择的信仰至死不渝,我对我走过的路无怨无悔。

您的女儿说:您所奉献的远远超过一个女人,您给予的远远超过一个母亲!

相信人世间有一种爱,是深沉的、绵长的、升华的。

相信有一种精神不死,有一种信念永恒。

相信以您的人格魅力,对今天的年轻人也会产生强大的磁场效应。

因为,您属于这样一种人:一旦关注,即被惊艳;一旦靠近,即被吸引。

终于懂您。

相信您的影响力,历久弥新。

原载《美文》2021年第21期

文字的力量
——作家梁衡延安行

与作家梁衡的相识,也算一种缘分。

本来八竿子打不着,没有任何交集,我却因为一场在延安举办的研讨会认识了他。他是这个会议的特邀嘉宾,既是著名作家,又是一位副部级干部,算起来也是我们新闻宣传方面的直接主管。与会期间,地方领导诸事缠身,就特意委派我全程陪同。

或许,是因为我接触和认识的作家朋友比较多,又有一点文学情怀吧。

最早知道梁衡,是从他的作品开始的。

算起来应该是2016年。那时我刚刚调

到晋陕交界处的陕北宜川县任职。单说宜川估计很多人不知道，但只要一说"壶口瀑布"，就立马晓得了。

壶口瀑布是大自然的鬼斧神工给宜川人民留下的地理财富，县域地方财政收入差不多一半都来自壶口景区，壶口是我们对外交往的一张最值得骄傲的名片。那会儿，"黄河壶口瀑布"正在申报国家5A级景区。我们就到处搜寻有史以来文学大咖笔下描写壶口瀑布的美文，就看到了梁衡的《壶口瀑布》："黄河博大宽厚，柔中有刚；挟而不服，压而不弯；不平则呼，遇强则抗，死地必生，勇往直前。正像一个人，经了许多磨难便有了自己的个性；黄河被两岸的山，地下的石逼得忽上忽下，忽左忽右时，也就铸成了自己伟大的性格。这伟大只在冲过壶口的一刹那才闪现出来被我们看见。"我一下被这样有力量的文字震撼到了，也记住了他的名字。喜欢一个人可以没有理由，喜欢一个作家肯定是从喜欢他的作品开始的。

为了营造一种隆重的仪式感，我设想了这样一幅画面：蓝天白云下，空旷的南泥湾机场，绿树鲜花掩映。当北京飞往延安的航班徐徐落地，我通过绿色通道，手捧鲜花站在飞机的旋梯旁，握手、递花、寒暄、合影，融洽的氛围定然会瞬间拉近素未谋面的宾客间的距离。

然而，忙中总会出错。

直到坐在接站的车上，我才发现托人买的花，竟然是一束超级温婉的粉色系玫瑰，中间插着几枝绽放的百合。我的头轰地一下就大了：不同的花是有不同的花语的，给备受崇敬的长辈级男作家送如此嫩粉色的玫瑰花，即使再怎么不讲究，也会显得不伦不类吧。身为女士，于公于私，面对如此看重的客人，我都无法原谅自己的失误。如果时间来得及，我更愿意选择气质高洁的兰花，代表一份宁静淡泊的美好寓意。送给梁衡先生，是再合适不过了。

事实证明，许多忐忑和思虑往往是多余的。

机场近期管控严格，不允许来往人员扎堆，因此，我勾勒的理想画面压根儿就无法呈现。按照有关规定，我只能在狭小封闭的贵宾室候着，由工作人员拿着临时打印的"梁衡先生"牌子前往接机。飞机落地十多分钟后，梁衡穿着最普通的白色半旧衬衫，一手拉着普通的小型拉杆箱来了。礼节性握手，介绍，还没来得及递花呢，他又被招呼着去做落地检测了。那束让我纠结了半天的粉色系玫瑰，丝毫没有吸引客人的目光。他甚至还笑着说了一句：以后不用搞这种形式主义的东西了。到了宾馆，他对安排的套房也似有不悦，说："我又不开会又不待客，住这么大的房子太浪费，下次注意，一个标准间就行。"

九月的延安，早晚温差大。天气预报说近几天都是早晚8℃—9℃，中午25℃—26℃。我提醒他注意添加衣服。他也感觉到了丝丝凉意，上车后，他从小巧的行李箱里抽出一件折叠整齐的夹克衫。我注意到他的行李都是分装收纳的，不由得感慨地说：男士的行李，能这么分类又整齐的还真不多见。他说他经常出门，习惯了简单。准备给他加点热水，才发现他连水杯也没带。还真是极简生活！

是不是真正厉害的人，都崇尚极简主义？梁衡不喝酒不抽烟，连茶也不喝。他的解释是，睡眠不好，不敢喝。

之前，他来过延安，但已经时隔二十七年了。那年来，他发表了一篇《这思考的窑洞》，现在读来仍然新风扑面。我们就把它选来作为会议文件，印在首页。其实，这次会议的特邀嘉宾也只有他一人。

公开的官方活动，他只出席了研讨会开幕式，还即兴讲了话。与其他专家不同的是，他没有拿一片纸，没有说一句客套话，每一句都是大实话："我自己是延安精神的受益者，从学习到工作，我都是在延安精神的教育下成长的。延安精神给我们留下了说不完的宝贵财富。"接着，他话锋一转："贯彻延安精神，应以虚心、学习的态度，实事求是的作风来践行。从来纪念都是对历史的回顾，更是对现实的观照。"语毕，全场掌声热烈。用延安话评价，就是：简单，扛硬。

我的座位靠后，好处是可以扫视全场。一个有意思的细节是：他讲话的时候，台下所有听众低着的头齐刷刷抬起来了，每一个人神情都分外专注，态度分外热切、虔诚。或许是因为他开场对延安表达的朴素感情，但更主要的是他对延安精神深入浅出、联系实际的阐述。每一个人都仔细聆听着，似乎生怕错过一个字，误了一句话。

其实，当年，延安时期，领导人的讲话多是即兴演讲，很少如现在有些人那样长篇大论念稿子。许多高深的道理就那么润物细无声地被理解被接受，许多观点和思想经历了时代风雨的洗礼和历史实践的检验，放在当下，依然具有深远的意义。

"对历史的回顾，更是对现实的观照"，分量十足。我似乎瞬间明白了什么叫底气，什么叫实力，什么叫人格魅力!

　　记者最懂得抓热点。有记者三番五次联系梁衡，要求采访，均被婉拒。我只能解释说：梁老师累了，让他歇歇吧。

　　累是真的。低调也是真的。

　　从来到走，不到三天的时间里，他仅有的一个午休，也没有歇息片刻。他的粉丝们带着收藏的和连夜从延安各类书店里搜罗的他的著作，等待签名，叫他如何能够辜负这份崇拜，这份认可，这份深情？信息化时代，还有人对纸质书本这样热爱，很难得；多元化的今天，还有人对文学如此看重，更算稀缺。看起来，不是人们不爱读书，而是好书不多，吸引力不够。好作家依然有人喜欢有人崇拜有人追逐。

　　我不遗余力地尽我所能推介延安的红色资源、黄河文化和黄土风情文化，以及进入新时代新征程延安人引以为骄傲的绿色革命。当谈到环保、生态时，话题就彻底打开了。

　　梁衡谈起了他的专著《树梢上的中国》，谈起了他首创的新学科"人文森林"，还有，他以"人文古树"为题材的系列散文。其中不乏名篇，如入选小学课本的《青山不老》， 如写原子弹实验的《戈壁深处夫妻树》。还有那篇《一棵怀抱炸弹的老樟树》，因为描写了这棵树救了毛泽东的故事而更加脍炙人口。此外，还有记录了清政府收复新疆过程的《左公柳，西北天际的一片绿云》等等。当然，还有写我们陕北的《中华版图柏》《中国枣王》《万里长城一红柳》等，这些作品大都发表在《人民日报》上。文章沿着历史的脉络，从远古写到当代，围绕一棵棵古树，讲述了正史少有记载的故事。每一篇，都是站在历史和政治的高度写大事大情大理的大文章。我连夜从网上买了一本，抽空读了几篇，那气势，那格局，那眼光，岂是一般的文人和作家可比？佩服是真的，但我也没忘记职责所在，"干啥吆喝啥"，不忘为家乡"鼓"与"呼"，伺机见缝插针地感慨道："您怎么没有写我们延安的轩辕手植柏，那可是历经五千多年的老树，冠盖蔽空，是世界上最古老的柏树，位居中华名木之首。无论名气、资历还是形象，是不是都应该在您的创作计划中留有一席之地？"他说，他原来的计划比较宏伟，准备写一百棵古树——最新版的《树梢上的中国》才收录了三十三棵，我说的轩辕古柏他当然也重点考虑过，但那是神话传说，他的"人文森林"必须有翔实的史料根据，所以，他没有贸然动笔。

秋分刚过，白昼明显缩短。

来一趟不易。为了节省时间，一个七十六岁的老人，顾不得鞍马劳顿，被我带着在延安的新城和老城之间连轴跑。

好在多年的记者生涯练就了他硬朗的身子骨，他精气神十足，看不出丝毫疲倦。

因为读书很多，历史上的延安他很熟悉；延安时期的许多故事，他讲起来比我们这些本地人更细腻、更翔实、更生动。在参观王家坪纪念馆、杨家岭革命旧居和鲁艺延安文艺馆的时候，刚开始是讲解员给他讲，讲着讲着，就变成他在给我们普及一些我们不知道的图片背后的故事、历史事件前后之间的关联、故事之外的人文趣事，不知不觉，吸引了周围一些游客也凑过来旁听。我方知道，除了写大自然的美景（如《壶口瀑布记》《晋祠》）之外，他对著名历史人物以及一些职业革命家的生平事迹也有很深入的探寻和研究。在他的政治散文集《千秋人物》中，周恩来、瞿秋白、张闻天、彭德怀这些在延安时期和中国革命道路上举足轻重的人物，他都有详尽的记述、分析和评价。在他这样的大家面前，不要说年纪轻轻的讲解员，就连我这样自以为对脚下这片土地并不陌生的人也变得惴惴不安，不敢随意接话，生怕因为自己的无知闹出笑话。在参观延安时期自力更生、用本地生长的马兰草生产的马兰纸时，梁衡立即来了兴趣，他兴奋地说："这个好，这个好，马兰纸应该成为延安着力开发的文创产品，它自身就带有历史的信息，可以做成信笺、笔记本、纪念册，放在参观点上，一定有很好的卖点。"

他与我接触过的大多数作家迥异。

记者、官员、总编等人生经历，造就了他的见识广博和视野开阔。他的跨界发展和勤奋创新，达到了专业作家都无法企及的高度。他为孩子们创作的《数理化通俗演义》，四十年来长销不衰，不知拯救了多少害怕数理化的孩子。用章回小说的形式写数理化，这个难度不是随便一个作家就敢于挑战的。而他，却游走在科学、教育和文学的三角地带，挥动长袖，尽兴地舞了一回，且舞得分外精彩、分外出彩。

著名学者季羡林就曾这样评价过梁衡："梁衡总能将对家国民族的满怀忧心，化作美好的文学意境。在并世散文家中，能追求、肯追求这样一种境界的，除梁衡以外，尚无第二人。"

读着他二十七年前的雄文《这思考的窑洞》，来自全国的会议代表由衷地感慨，这司空见惯的窑洞，何以在他的笔下就能透出如此的巨大的力量？我想，那是文字的力量，更是思想的魅力。

当前，延安经济生活的各个方面正处于"破茧成蝶求嬗变"的关键节点。怎样把高质量发展贯穿各方面各领域，是摆在我们每一位延安人面前的必答题。举办论坛，邀请名家，都是为了破题、解题，为了寻找最佳答案。这么好的机会，太珍贵了。我和梁衡先生约好了，第二天，请他给我们延安围绕"绿色生态"作一个专题讲座。他说这个领域他熟悉，就讲生态讲环保，讲他首创的"人文森林"。通知发出，参加讲座的除宣传思想文化领域的人员外，还有林业、环保等单位的人。

谁知，计划赶不上变化。由于飞机航班的原因，他必须第二天飞回北京。我们的讲座只能相约来年了！

他说过，身为作家，他不喜欢参加采风活动。蜻蜓点水，走马观花，这不符合他的写作风格。期待着他明年再来延安，做一次深入的采访，搞一场讲座，写一篇大文章。

　　梁衡先生，春暖花开时再会，不要忘记延安还有那么多人在等您。

2022 年 10 月 3 日于西安

本色人心

雕刻记忆

宽慰你也宽慰我

一个平常的周末。

一个熟悉的陌生人。

一个偶然的事件。

不知潜伏在哪里的病毒入侵了这个人,感染了一座城。

谁说过:雪崩的时候,没有一片雪花是无辜的。

"巍巍宝塔山,滔滔延河水",我的城,顷刻间被击伤了。

有那么几次,病毒也曾偷偷光临,从这座小城的头顶飞过,盘旋着,飞过眼前、飞过发梢,呼啸着从耳边飘过。所幸没有杀伤力，所幸有惊无险。小城里的人，庆幸自己的土地洪福不浅，骄傲自己的城市百毒不侵。但毕竟，侥幸不是常有；毕竟，幸运不会时时来临。

冬至，按照习俗吃了饺子。据说冬至吃饺子不怕冻耳朵。大概是饺子长得像耳朵吧，我猜测的，没有细究。其实，有些村俗民约大可不必当真不必追问。既然人老几辈都这么着，咱就乐呵呵加入，喜滋滋参与呗。就像扭秧歌，闹红火，甩开膀子放飞自我，尽情嘚瑟，怎么高兴怎么来。不必讲究章法和套路，不就是图个吉利、凑个热闹嘛。你的乐感染得他人也乐，你的阳光照亮周围，驱走黑暗，点燃希望，又何乐而不为呢？平常人家，日月光景，哭也一天，笑也一天。特别是年岁大了，多了些阅历，犯不着扯着劲儿为一些无伤大碍的事较真。又不是搞技术弄科研，仔细严谨，追求个精准是最基本的要求。人间烟火气息，不就是有滋有味有情有趣么。孩子们也在谈论有关"熬年"的话题。相约年三十晚上守岁比试，看谁可以通宵不睡觉，睁着眼"熬"到新年。又发现不对劲，今年没有年三十。找"度娘"普及了一下，方知我国独有的农历年是根据月亮的圆缺变化，也就是天文学中的朔望月来制定的。今年的腊月恰逢小月，只有二十九天。

应该说,"熬年"熬的是除夕夜,大年初一的前一天晚上,这才更准确。

眼看着,年就到跟前了,好多事情都泡汤了。多少人铆足了劲儿干了一年的活儿就平摊在那里,干晾着。就像憨厚的庄稼人,眼睁睁看着地里熟透的谷子麦子该收割了,却被捆住了手脚,眼巴巴干着急。

无奈,无语,无助。

是玉皇大帝管理无方,还是哪路神仙松懈了,一个不留神,瘟神溜了出来,下界了,四处祸害。老百姓的年哟,统统被浓浓的阴霾笼罩着。

从庚子鼠年年初到辛丑牛年岁末,看不见的病毒严重侵扰了人类的生活,搞得五湖四海不得消停,大江南北不能安生。人们都被以不同的形式搅和得身心疲惫。原本美好的世界因之遍体鳞伤,满目疮痍。对峙着,抗衡着,旷日持久。摸索着,跟进着,难分胜负。赶不走,打不败,撒不掉,如影随形,呈胶着状态。

专家说,必须学会与病毒共存。

每一个人的日常,都变得小心翼翼。

从大雁塔到延河边,从钟楼到宝塔山,一脉相连、多线相牵的一对难兄难弟,都像被点了穴,定住了,动弹不得。一个省，两座城，一千五百余万人口呢，内中有多少人为了生计，为了亲人，常年奔走在两个城市之间。但对付看不见的瘟神，赤膊上阵的莽汉不行，需要的是身怀绝技的高手。更多被困者，没有了方向，不知道该干什么。醒了吃，吃了睡——从前唾弃猪一样的生活，却发现眼下的自己已经与猪无异。日子乏味得快要窒息。手机、网络成为唯一的慰藉。

夜间，发小发过来一篇祭父文。字短情长，言简意深，句句触碰着我的神经。比文字更有视觉冲击力的是随文配发的照片：老人笑呵呵的，一脸喜气。如果不是黑色相框和相框中间的那个"奠"字，谁都不会认为那是遗像呢。遗像前摆放着两个证书——"光荣在党50年"纪念章，"庆祝中华人民共和国成立70周年"纪念章。我方得知，这个我从小就认识的伯父竟然有如此不平凡的经历：十五岁参加革命，转战陕北时曾保卫过党中央，在那场激烈的宜瓦战役中，额头受伤，残留的弹片与他相伴直到离世。老人终年九十一岁，祭父文简单记录了他过往的辉煌和荣光。老人就这么静悄悄地走了，正如他不事张扬安安静静的一生。怎么安葬的，我浑然不知，不过也算寿终正寝，愿老人安息。发小说："尽管早有思想准备，但这一天真的到来，还是悲痛难抑。思及从小到大父亲艰难养育自己的桩桩件件，心里仍有愧疚，追悔不已。"唯一能做的就是以网祭的方式聊表寸心，告慰亡灵。夜深人静，人去屋空。发小的老婆孩子被困西安，身边连一个可以对话的人都没有。苦与痛，我最能感同身受。

  我们是邻居，又是同班同学，一起长大，一起外出求学，一起参加工作。多年来，在人生的岔路口，无论遇到什么事，总会彼此探讨分享，属于那种打扰了从来不用说对不起的人。他考取的是军校，整个校园里都看不到几个女生。那会儿的大学比较流行周末舞会，年轻的心朦胧的情都因舞会产生。记得大学第一个寒假归来时，大家兴奋地谈起校园话题，谈起舞会，切磋舞技。他的舞姿木木的，是很机械的那种。军校也办舞会，我们都好奇没有女生怎么跳怎么舞。他淡淡地笑了，说一人抱着一把椅子跳。多少年过去了，抱着椅子跳舞的他，竟然是我在自己的想象中所能勾画出的最深刻的记忆。他属于典型的"军二代"，很乖很听话，学习刻苦。同学十多年，他的考试成绩永远是仅供我们仰望和欣赏。他也妥妥地成为周围所有家长们异口同声赞誉的"别人家的孩子"。记忆中，埋头学习的他似乎也从未谈起过父亲的相关事迹，甚至连类似的话题都不曾涉及。

　　我素来敬慕英雄，对脚下这块英雄的土地上发生的故事十分留意。特别是这些年，随着许多默默无闻的老战士老革命相继离去，这片红色土地上的人文记忆越来越稀缺。身为文字工作者，抢救性地挖掘整理他们的故事，为后人珍存一份口述历史，已成为一种自觉和职责。我一直在寻找，一直在刻意地探访。哪承想，一位隐身的老英雄，一部历史的活教材原来就在身边。隔墙邻居、熟悉的伯父、发小的父亲。那么近，又那么远。是常人眼里无英雄，还是英雄一直就在我们身边，只是仓促行程中，谁都未曾发现。

　　夜已深，我模糊着泪眼给发小敲下这样一段文字：伯父走了，为你心痛——宽慰的话不知从何说起。想想我卧床不起的母亲，身体状况也一天不及一天。她每日望眼欲穿地盼着我等着我。无奈我纵然归心似箭，昼夜牵挂，却远水不解近渴，无法在床前尽半分孝心，徒有煎熬。比之，伯父和你，还算幸福。你为了老人放弃了很多，在老人生命的最后日子里，能够喝到你端的茶递的水，醒里梦里都有你，这尤其让人羡慕。致敬你，大孝子。

睡意全无。反正总是闲着，不如动起来，分类搜集整理一下本土英雄的点滴事迹，写成一个个动人的小故事，讲给后人听。当然，所有正在发生的故事也在其中。结集成书，若干年后，传下去，岂不更好？

有战斗就会有伤痕，有牺牲。

平常的伯父，是英雄。战场造就了他这个英雄。英雄是普通人，是血肉之躯，英雄也有父母亲人。枪林弹雨中前行，危难中逆行，哪怕伤痕累累，哪怕献出生命。扛起枪，披上甲，上了阵，"明知山有虎，偏向虎山行"，"风萧萧兮易水寒，壮士一去兮不复返"，这样义无反顾的人，都是英雄。

世事无常，谁都不知道意外和灾难何时会降临。面对艰难坎坷，面对突发的事件，不气馁，不妥协，挺起不屈的脊梁，有勇气拥抱生活，有底气笑迎挫折。继续前行，以"人间一股英雄气"，驰骋、纵横。坚信每一个迎风向前的人，都是自己的英雄。

勠力同心，战胜疫情。我们的城也应该是一座英雄城。

这些话,聊以宽慰发小,宽慰坚守在一线的普通英雄,宽慰被困在小城里所有的普通人。

谨以此篇,宽慰你也宽慰我。

原载《延安文学》2022年第2期

孟夏之月祭亲人

对于我们的家族，本年，本月，太沉重，太沉痛，也太揪心。短短一个月之内，送走两位亲人。前些天，是慈爱的母亲；今天，是我们挚爱的大哥。

母亲的事业是我们
——祭母亲

母亲雷银叶，生于1930年农历腊月十八日，因病于2022年4月29日（农历三月二十九日）凌晨4时21分去世。享年九十二岁。

◆ 雕刻记忆 ◆

母亲幼年失去了自己的父亲，经历过战乱和饥荒。十七岁嫁入霍家，生育了四个儿子四个女儿。我们的父亲去世时，母亲才刚刚四十出头。没有上过一天学，不认识一个字，没有一分钱收入的母亲，拖着我们兄弟姐妹八个孩子，几乎每天都在为吃饭发愁。

小时候的我们，都不是让母亲省心的孩子，相互之间经常打闹不休！记忆中，家里的一盘大土炕上，母亲的枕头底下压着的笤帚疙瘩，身边的擀面杖，都是"武力"镇压所有纠纷的武器。我们在母亲的棍棒下健康成长，顺利完成学业，走上工作岗位，懂事、明理，成人、成熟，成家、成长。

母亲一次次目送自己的子女远行，又一次次迎来子女的子女回家。瘦小羸弱的母亲一生最伟大的事业就是养育成就了八个子女，又亲手带大了子女的五个孩子。霍氏子孙两代共计十三人由母亲亲手抚养长大。如今，我们的大家族已经是五世同堂，算起来大大小小共计五十二口。

晚年的母亲不再强悍，如孩子般异常依赖子女，正如当年的我们对母亲的依赖。她每天都眼巴巴盼着我们回家、回家。子女们也各尽所能力所能及地悉心呵护守护着母亲。因此，身子骨一直不怎么硬朗的母亲才能在晚年一直体面且有尊严地活到生命的最后一刻，即使在身体不能有丝毫挪动的最后十一个月里，也始终保持了每天的干干净净，清清爽爽；即使面部肌肉萎缩得无法佩戴假牙，身边的子女也会把营养搭配均匀的食物搅拌成糊状喂给她吃。

母亲对自己的子女们严厉，对媳妇和女婿们却从来不说半句不是。无论谁家两口子吵架，她数落的都是自己的子女。她对孙子孙女们更是宠爱有加，哪个孙子都亲，哪个孙女都爱。她以自己的人格魅力赢得了所有晚辈的尊敬、喜爱和情感上的依赖。

因为疫情，困居新加坡和我国深圳、上海的几个孙辈不能回来。惊闻噩耗，孩子们在电话里、视频里泣不成声。他们以自己的方式在家人组成的微信群里，发照片、写文字、制作小视频，追忆、缅怀、祭拜他们心中可亲的奶奶可爱的外婆，可敬的无以替代的慈眉善目的老太太。

母亲的好，桩桩件件，历历在目。无数次想过告别，但真的需要面对最后的告别时，还是悲伤难抑。我想，如果谁能为平凡人间的平凡人生设立一个奖项，我们的母亲应该问心无愧获得一个大大的奖杯。

想念健康时候的母亲，心疼被病痛折磨的母亲。

面对生命力一点点流逝的母亲，作为儿女的我们更是揪心。从这个意义上讲，母亲的离开也算是一种解脱。

天堂里没有痛苦，天堂里还有我们的父亲。此刻，想到他们分别五十年之后再次在天堂里团聚，一起温暖慈爱地注视着我们，保佑着他们的子子孙孙，心中不免又会泛起些许别样的欣慰和安心。

母亲，您永远活在我们心中。

母亲，来世我们还要做您的子女。

母亲，我们永远永远爱您，想念您。

安息吧！母亲！您的子女再拜叩首！

您的子女敬上

公元 2022 年 5 月 2 日（农历四月初二）

以泣血的文字祭你——大哥

大哥霍振华，原名霍忠孝，生于 1953 年 4 月 20 日（农历三月二十日），卒于 2022 年 5 月 24 日（农历四月二十四日）0 时 7 分，享年六十九岁。

母亲离世时，大哥也病重住院。我们哄着瞒着，不忍心告诉他这一噩耗，唯愿这份善意的欺骗，能够延缓大哥游丝般的生命。但是，仅仅时隔二十多天，大哥还是走了。也许是怕老母亲太孤单，大哥追随着她，跟着她，去了。

对于大哥来说，离去，也好，总算解脱了。再也不用忍受病痛的折磨。

大哥一生质朴。在兄弟姊妹心目中，他永远是积极乐观、勤劳持家、性格刚毅、善良勤快的大哥！我们的父亲走得早，长兄如父。那些年，全家的户口都被下放到了富县城关镇灯塔大队。在那些个在土堆堆里面刨食吃的日子里，风里雨里，日里夜里，从春到夏，从秋到冬，种地、砍柴、担水，所有的体力活，所有的苦和累，都是身为长子的大哥一人默默承担。一大家子人，除了母亲，敦厚朴实的大哥一直是我们处在风雨飘摇之中的那个大家庭的力量之源和精神支撑。

后来，日子渐渐有了起色，弟妹们逐渐长大了，成家了，都有了自己的事情做。唯有我们的大哥，因为特定的历史和政策方面的原因，蹉跎了时光，错失了大好时机。

大哥不善言辞，很少表达自己内心的需求，对生活的要求也不高。即使生活再怎么艰难，从他的口中也从未说出过一句怨天尤人的丧气话。他总是乐呵呵的，喜欢旅游，喜欢四处走走、看看，还喜欢看书，了解天下大事，中医之类的书也看。在生命的最后日子里，任凭病魔肆虐，他也默默地、静静地一个人承受着，从来不给别人诉说身体的不适。即使瘦到皮包骨头，即使眼角挂着泪珠，他也没有说过一句苦，没有喊过一句痛。唯有我知晓，他的骨头是最硬的；唯有我知晓，他每一根暴露的嶙峋瘦骨，都曾经锋利无比，坚硬无敌。他从成年以来，一直都托举着家族，一直是大小两个家庭的支撑。

大哥的所有辛苦和付出，唯有母亲最清楚，且一直记得，一直念叨着。母亲常说："你们几个小的，要记得对你们的大哥好呢。你们的爸走得早，咱们孤儿寡母的，力气活全靠你们大哥干呢。你们大哥就是担吃喝的凉水，也给你们担了十几年呢！"

亲爱的大哥，我能接受十年后、二十年后的你离开，但我不能接受此刻你的匆匆离去。我是锥心地疼，锥心地痛，恨无力挽回你脆弱的生命，悔没有来得及以涌泉回报你的"滴水"之恩，唯有以泣血的文字祭你。

大哥，身为霍家长子，你担负了太多太多的家累，承受了太多太多的苦痛。

大哥，你的好，母亲记得，弟妹们也记得。你的每一分辛勤付出，弟妹们都永远记得。

相信，在天国的世界里，有一只招魂鸟已经在迎接我们的大哥呢。相传，善良的人，从人间到地府转一圈，就会随了招魂鸟飞上天堂。前些天，这只鸟儿刚刚迎接了我们的母亲，现在又来迎接她的长子了。

相信，天国的世界是祥和的，也是绚丽多彩的。那里有我们的父亲母亲，如今大哥也去了，可以承欢父母膝下，开启一种无病无痛美好的生活。

大哥，安息。大哥，你永远活在我们心中。

您的弟弟妹妹敬上

公元 2022 年 5 月 24 日（农历四月二十四日）

◆ 雕刻记忆 ◆

自有岁寒心

都折腾着过年。谁都没预料到,世界东方那只雄鸡胸口处会冒出一抹不曾见过的红。有人瞥一眼没在意;有人装作看不见;有人看见了又看不懂。短短几天,那抹红就疯狂四处扩散,爬高山,跨江河,连世界屋脊也没能够阻挡。

错愕了,傻眼了,速度跟不上了。

红灯亮了,紧急刹车。

秧歌扭不成了,九曲没人转了,影院商店也门庭冷落甚至挂牌歇业了。灯火阑珊,佳境不再。热闹的年,彻底消停下来了。

宅家的日子里,清晨睁开惺忪睡眼,第

一件事就是摸出手机看新闻。一串串冰冷的数字后面,都是鲜活的生命以及和生命牵连着的无数家庭和亲人。

默默为逝去的生命哀悼,默默为患者祈福,愿他们在与死神的博弈中胜出。

微信传来一段视频,顺手点开。

"宝贝儿,阿姨只能离你远一点儿……"(声音清脆)

门,只开了一条缝儿。可以窥见,空荡荡的屋里,一个六七岁的小女孩,戴着医用口罩,无助地倚在床边嘤嘤哭泣。

"你在里面乖乖的,听话,不要哭……听见没……听见没?"(声音开始哽咽了)

画面简洁、干净,没有多余的人。微微打开的门外,只能看见一只握着门把儿的手臂。听声音,很年轻,也戴着口罩。不让孩子哭,她却哭了。

视频是志愿者随手拍的。小女孩的父母都住院了,她一个人在家。视频反映的是社区工作人员上门给孩子送饭的真实场景。

短短十五秒,我却看得泪眼婆娑。

多么相似的情景。好心疼那个小女孩。

当年,我的女儿也是这般大。

大雪天，一场意外车祸。我和爱人双双坠入二十多米的深沟。循着雪地车痕，后面的车主发现了掉进深沟的车子和受伤的我们。所幸营救及时，我们死里逃生。感谢苍天眷顾，否则窝在深沟里冻都冻死了。听周围的老百姓说，我们俩是他们见过的那个地方历年发生的数起车祸中唯一一对儿活着的人。不幸中的万幸是我俩脏器完好无损，只是胳膊腿有不同程度的骨折。术后，相当一段时间里，我们基本生活都不能自理，往日有序的日月光景一下子搅和成一团乱麻。对我们来讲，身体的伤痛倒在其次，最担心牵挂的是年幼的女儿怎么办。那种心疼，比外在的伤痛更钻心。

那个年代，信息来源比较匮乏。草根儿出身的我们和很多同时代的普通人一样，一纸婚书，一道门槛儿，一夜之间，就完成了从大人眼中的孩子到成年人的身份转换。七大姑八大姨，纷纷拥入的亲戚面孔还没怎么熟悉，又忙不迭迎接小生命的到来。一下子还不太适应自己有了爸爸妈妈这样伟大又神圣的身份的改变，但舐犊之情天然有之，千般疼爱万般呵护，恨不能把世间所有的好都捧给她。没有谁教过该如何去做合格父母，只能按照自己的心性摸索着前行。守着岁月静好，绿荫、蓝天、雨露、阳光，尽心护佑着小树苗渐渐成长。呱呱坠地以来,女儿承欢膝下,不曾离开半步,被含着、捧着,名副其实的娇娇女,常常吃饭满院子追着喂,起床三五遍乖哄着拉不起来。因为穿衣的缓慢,因为出行的磨蹭,小冲突不断发生。幼儿园上下学路上,避开老师和小朋友,就会以各种巧妙的由头撒着娇让爸爸背背、妈妈抱抱,否则就死缠烂打赌气耍赖,就地竖起一座小型雕塑。在各种小聪慧、小淘气的花样儿翻新中,尽显有勇有智有谋,也试探、挑战着父母包容忍耐的极限。

一切猝不及防,一切毫无准备。

突然之间,那双紧紧抓着的大手就要被强行扯开了。这陌生的人世间,让幼小的女儿情何以堪?

正到了入学年龄,只能随奶奶回小县城上学。作为母亲,我是愁肠百结思虑万千,心都快碎掉了,除了不舍还是不舍。种种惆怅都化作嘴里的不胜感激,背地里却不知哭了几多回。曾设想过的好多种母子告别的凄凄画面,直到离开的那天都没有出现。预料之外的是,女儿超乎寻常地安静、乖巧,小大人似的拉拉爸爸的手、亲亲妈妈的脸,竟然一声都没有哭,还安慰我们说:好好养伤,伤好了,囡囡就回来了,又能和爸爸妈妈在一起了。事实也证明,离开我们,女儿好像真的一夜之间长大了。奶奶说,回去的路上,孩子一直在哭,是只流泪不说话的那种,天知道她的小脑瓜里究竟想了些什么。反正也就是从那天起,我们所有的担忧,诸如睡觉、起床、吃饭、穿衣这些问题根本都不算是问题了。无论怎么生疏笨拙怎么别扭,她都慢慢摸索着进行,不会喊别人帮忙,全部自己搞定。作业也自觉完成,在班级里还结识了新的小朋友,打开了全新的校园集体生活模式。我惊讶地发现,其实我并不比女儿更了解她的心思她的世界。有一天,女儿竟然在电话中兴奋地告诉我们:她被同学们推选为小班长啦,每天第一个到教室最后一个离开,可忙呢。还说,就是太累了,累得她都想辞职呢……我再次惊叹于她居然可以脱口说出"辞职"这样书面化的词语。

一切似乎都出于本心,一切都顺畅得让人不敢相信。不足六岁的她,就那么顺其自然地走出了生活的舒适区。

反倒是我们,活蹦乱跳的两个年轻人,一下子倒下,卧床不起,活成了别人的累赘。在不得不与床板保持"平行"的日子里,各种担心和压力丝丝缕缕交叉缠绕:断开的骨头会不会如期愈合?今生今世还能不能站起来自由行走？断腕的右手还能不能重新拿起心爱的笔来涂涂抹抹……不可预知的前方，又会出现怎样不可逾越的沟沟坎坎？悲悯中，自怨自艾自我垂泪自我哀叹，低谷时分似乎觉得自己已经成为被整个世界丢掉的弃儿。害怕每一个黑夜来临，害怕连绵的梦境中一直重复再现的吓人情形：无边阴森死寂，漆黑一片的旷野，只有我一个人在重重堆积的死人堆里艰难爬行。每次抓到手里的都是面目狰狞的骷髅头，扔掉一个，下一个还是骷髅。无论怎么爬都爬不出去，任凭怎么喊都喊不出声。恐惧伴随着梦魇，泪水伴随着汗水，醒来一身冷汗，枕头浸湿一片。白天艰难，夜晚恐惧，简直度日如年。缠绵病榻，唯一照进的亮光，就是电话铃声清脆响起，耳边传来女儿稚嫩的呼唤。是慰藉，是浸润，是黑暗中的阳光。听她讲学校里、玩耍中发生的所有琐琐碎碎，听她柔柔的暖暖的关心和问候，那是一天中最有效的治愈。她若安好，就是晴天。

许多年以来，一直没有机会告诉孩子，其实，在那段苦闷暗淡的日子里，正是她稚嫩的爱点点滴滴抚慰了困境中的父母。谁都不是超人，谁都有虚弱到转不过弯儿的时候。那样一个特定时段，一对儿貌似强大的成年人，身体被搭救了，心却依然坠落在不可预测的幽幽深沟，久久无力攀爬出去。是女儿真诚的牵挂、稚气的鼓励，陪伴并牵引着我们，一天天走出心的沼泽地。

——却顾往来径，苍苍横翠微。

我想与视频里的小姑娘来一场隔空对话，和她分享女儿的成长故事。我更知道，轰然倒塌的黑暗废墟，需要有一束光的指引。

好想给她编织一个现代版的童话：这个新来的病毒是人类肉眼看不见但本领高强的妖怪，钻进了你父母的身体。不远处，好多好多从头到脚一袭白衣的天使们正在设法营救他们。那些白衣天使们也有和你一样可爱的小孩子。那些小孩子此刻也和你一样，孤孤单单地待在家里见不到他们的爸爸妈妈。因为他们的爸爸妈妈就像"蜘蛛侠"那样，要去救人，拯救那些被妖怪抓去随时有可能命悬一线的人。只不过，他们是穿了白衣的"蜘蛛侠"，所以我们称他们为白衣天使。他们要在一个封闭的区域和妖怪比武、厮杀，常常要杀得天昏地暗，战好多个回合，才能把那些和你父母一样被妖怪抓住的人从魔爪中抢回来。那个妖怪太厉害了，随着呼吸就可以钻进你的肚子里，所以你必须戴口罩；也碰不得，哪怕轻轻挨一下，它就会附着到你的皮肤上，然后一点一点渗透，在你的身体里住下来，喝你的血吃你的肉，直到把你消灭掉。所以，不管是白衣天使的孩子还是你，只能和自己的爸爸妈妈分开。只有隔离，才能保护你们不被妖怪伤害。现在，你的家，就和孙悟空用金箍棒给唐僧八戒和沙师弟他们画定的那个圆圈一般，只要乖乖地待在里面，那妖怪就伤不到你……

孩子，别怕。故事里的童年，总是斑斓的。

至少，在漆黑的夜，在没有妈妈陪伴的梦中，你就是那个功力无比的天使，能够亲手从妖怪魔爪下救出自己的爸爸妈妈。当黎明的曙光出现时，你会披着朦胧的金色凯旋，以胜利者的姿态和父母紧紧相依。对于童年，听故事和吃饭一样，都是可以长身体的，一个养心，一个养身。许多年后，已经出落成花季少女的你，青春的脸庞才不会缺失阳光般明媚的笑意。

这扇微微打开的门里只有你，门外还有很多和送饭阿姨同样亲切的志愿者，他们和警察叔叔一样，在后方用爱默默守护着你。

战斗已经打响。

谁都知道，战争就是战争，战争残酷无情。

在主战场，惨烈的场面，远比想象的更戳心，简直让人不忍直视，不愿目睹。但总有一份牵绊、一份难以割舍的情愫，不得不关心不得不关注。

死别已吞声，生别常恻恻。

真正是：时代的一粒灰，落在众生头上，就是一座山。我在想，被山压着的，又何止哭泣的小女孩、雨中奔跑的妇人和染病离世的患者？还有你我这样被裹挟的每一个人。面对这肉眼看不见的强大敌人，芸芸众生，谁又敢保证下一个倒下去的不会是自己是家人或者邻里亲朋。

每一个人经过的血与火的洗礼，都是淬炼，也是成长。

当意外和灾难来临，我们绝不怨天尤人，绝不做无聊的看客，敢于正视淋漓的献血，敢于捧出一颗滚烫的爱心，爱己及人，拼尽全力活下去，方为王道。

咬紧牙关，把悲伤收起来，把眼泪憋回去。

在狡猾的敌人面前，无论如何都不能自乱阵脚。

摊上事了，就必须得扛着，扛不起也得扛！背水一战，奋力突围，与其躺着等死，不如站着求生。

因为，我们别无选择。

收回所有的慌乱，安安静静坐下来，梳理一下杂乱的思绪。车行车路，马行马路，各自守好阵地，不越位，不添乱，站好自己的岗，看看自己究竟可以做些什么，为罹难的家园出一份力，为受困的母亲尽一份心。这是本心，也是最基本的生存智慧。辛苦一些，但心却会踏实一些。

我很想毛遂自荐做一名社区志愿者。到一线去，那里正缺人手，各种忙碌的活儿琐碎却并不复杂，有爱心有耐心就一定能够胜任：可以打打咨询电话、消消毒，哪怕给那些几乎快累趴下的亲们搭把援手，顶个班，让他们打个盹儿眯一会儿；或者，做一碗热汤，送去冷风里最渴求的一丝暖意；也可以发挥专长，搞一个在线直播，专门陪大家聊聊天，每天固定时段连线那些被困无助的隔离者，倾听传递他们的心声和需求，如果能减轻焦虑、苦闷，陪伴他们走出沮丧，也算是尽了一份绵薄之力。

病毒无情，人间有爱。爱是你，也是我。

夜行的路上，用爱点燃的每一束光，都会穿过风雨，汇成最温馨最迷人的人间彩虹，照亮前行的路。

草木有本心。人，自有岁寒心。

原载《延河》2020 第 3 期

深深的怀念

——图文集《照片故事》前言

按照家乡富县的风俗，老人去世三天之内下葬，"入土为安"；三年才隆重追思、纪念，叫"过事情"。

想来老祖宗留下的这些讲究还是比较合乎情理的：家中至亲刚走，亲人们都沉浸在悲伤中，情绪、精力，都不"在线"。经过三个年头的沉淀、追忆、回顾，就多了几分冷静和理性。

我们的母亲是2022年农历三月二十九日走的，享年九十二岁，转眼间，已经两年多了。很多家事随着母亲的离去都成了故事。

我们这个家族究竟有没有族谱？我不知道，至少，我没听说过，更没有见过。

在母亲"三年"前夕，身为女儿的我，打算编辑整理一本有关妈妈的相册，记录过往岁月的点滴，其一是对母亲养育之恩的一种铭记；其二也算是完成一场和母亲的告别仪式。

有关家族的过往，均来自妈妈口述。

听妈妈说，我们的爷爷是牛武镇姓白的财东家的外甥，十六岁只身逃难到富县，算舅舅养大的孩子。成年后，白财东在富县县城里白菜心地段给我们的爷爷买了一院不错的地方，横向沿街门面房正房七间，纵向南北厢房二十四间。爷爷娶妻生子，算是安顿下来了。爷爷和爸爸都略通文墨，算得上是有本事的人，光景过得好，唯一的缺憾就是三代单传，缺人手。

母亲的娘家在富县牛武镇老寨子村。对于外婆家的情况，我没有考证，也无处问询，只晓得有个舅舅，当年给八路军抬担架的时候，牺牲在战火中，外婆因此成为烈属。母亲四五岁的时候失去了父亲。据说，外公是给共产党部队送情报，被国民党的人抓住，吊死在了村口的老槐树下。

母亲十七岁嫁入霍家，算续弦。当年，我们那个同父异母的大姐还不满三岁。随后,母亲又相继生了我们七个。我有三个哥哥三个姐姐一个弟弟,兄弟姐妹共计八人。老霍家到了我们这一代,算是人丁兴旺了。屋后菜园是我们儿时的乐园,有一棵桑枣树,三棵枣树,一棵桃树。桑枣由绿变红再到黑紫,由涩到酸到香甜,我们吃得舌头嘴巴都是紫黑色;狗头枣皮薄肉厚核小,又软又甜;桃子挂果不是很多,个大,一颗抵得过两个三个,离核的桃子,多汁多肉,味道鲜美。从春季到夏秋,菜地里有吃不完的韭菜白菜黄花辣椒茄子豆角黄瓜西红柿玉米棒。

只可惜爷爷和爸爸都走得早,走得匆忙,没有留下什么文字之类的东西。我见过父亲仅存的墨迹,就是一个巴掌大的黑色皮质小本儿上面,用娟秀的小楷记录着的我们兄弟姊妹八人的生辰八字,还有他给我们起的乳名和官名。父亲走了,一窝娃儿大点儿的才刚刚步入成年,最小的还是嗷嗷待哺的幼童。母亲不识字,没有工作也没有任何收入,硬是苦撑着,把我们一手拉扯大。也得益于我们小时候生活的老屋,对面是电影院,与县政府家属院仅一墙之隔,距离学校也近,上课铃声响起才往教室跑,干活读书两不误。虽然家境贫寒,但我们都能如期完成自己的学业,这得益于母亲的智慧，也是我们的福气。

80年代，老宅被征，我们的家搬迁到了南教场。

后来，南教场旧城改造，我们先后又搬了几次家。纷乱中，有关童年有关老宅的文字资料和图片都找不到了。以上，算是对我们家族背景的一个简单交代吧。

我只能以搜集来的照片记录过往，为母亲为家族留一份念想。以这样的方式，告慰老霍家的后人：曾经，我们拥有过一位伟大的母亲，是她，以羸弱的身躯支撑起风雨飘摇的家庭；是她，含辛茹苦，抚育你们的父母辈，延续了霍家的香火、哺育了你们的生命。

今年清明节上坟时，我发现妈妈坟头的青草已经长得很高了，一种不知名的紫色小花儿，绕着母亲的坟长了大半圈，很是好看。母亲生前特别喜欢花儿，莫非，这些野花是专程围拢过来陪伴母亲特意为母亲绽放的吗？我心里多了几分宽慰、几分感动。

哥哥在父母的坟前画了个圈儿，洒了酒，在供桌上摆放了水果、清明罐、花树，还有我们特意买的白色和黄色的鲜菊花。以前上坟是要烧香火钱的，现在响应森林防火政策，仅挖了个土坑，埋了面额巨大的冥币……我们一字排开，齐刷刷跪了，听哥哥姐姐念念有词告诉九泉下的父母：过节了，我们来看你们了，除了敬的献的吃的喝的，还需要什么东西自己在那边再买点儿！

◆ 雕刻记忆 ◆

晨曦中，我看到哥哥姐姐们花白的头发、脸上的皱纹，不由得泪光闪闪，鼻头泛酸。瞬间，一股浓浓的亲情溢满。不知不觉，大家都一把年岁了。

人活一世，草木一秋。

其实，在这个世界上，从来就没有哪个父母生来就是无坚不摧的，只不过是为了儿女，才变得无所不能。这些，相信为人父母后，晚辈们也会感同身受。

如今，我们兄弟姊妹相约祭拜父母；未来，我们也会陆陆续续告别这个世界，不知道如此情形的祭拜还会不会存在？天南地北满世界奔波的下一代、再下一代，还会有几人记得遥远的故乡和故乡的乡风民俗？

未来没来，还是过好当下，完成自己需要完成的事情吧。

只是，我们的父母走了，我们再没有了当孩子的权利。唯愿你们，在父母尚且健在的时候，懂得珍惜亲情，懂得珍惜这份看似平凡的拥有……

今天的日常，就是明天的故事。

在母亲过世三周年来临之际，我特意写下些许文字、收集整理编辑了这本图文故事，来纪念我们心中慈爱的母亲，也为子孙后代留下一份有关家族的记忆！

这个，也算是我编辑这本照片故事的意义吧。

2024 年 12 月 18 日于延安

心永远在一起
——安塞县镰刀湾镇史界村《李氏家谱》代序

算起来,我应该是当年的安塞县(现在的安塞区)镰刀湾镇史界村李氏家族第四世四门李平才家的长子媳妇。从1992年嫁给我的夫婿李永东至今,已经三十一年了。当我翻阅建军兄弟主编的这部《李氏家谱》,看到我与丈夫的姓名、简历和证件照片并列,双双被安排在家谱《人物篇》"家族荣耀学习榜样"排名比较靠前的位置,惶恐中,心中渐渐泛起了一种非常隆重且庄严的认同感和归属感。

◆ 雕刻记忆 ◆

建军兄弟邀我为这个属于中国四大姓之一的李氏的家族谱写序,我还是有点儿忐忑的。一则,从陕北古老的传统习俗看,女性一直处于被矮化被忽略被遗忘的状态。不要说别的,单单从这部家谱里就可窥见端倪:有限的被记录的几位女性,也多以某某氏代称。

一部家族史也是一部缩小版的中国史。

很久以来,史书记载的基本是以男性为中心的朝代故事。旧时的女人活了一辈子,起早贪黑,相夫教子,默默支撑着家的正常运转,论贡献也绝不亚于任何男性。但这些隐身在男人背后的女人,较为普遍的情况是至死连自己的姓名都不曾留下。这是女人的悲哀也是历史的悲哀。二则,在这个偌大的家族中,其实有能力和影响力的成员也不少,比我厉害的比我出色的长者或后来者也大有人在。虽说进入新时代步入新征程了,但这毕竟是李氏家族的第一部族谱。以文字的形式白纸黑字为岁月留下印记,承载的是整个李氏家族的历史足迹。我能否承受如此之重的委托,能否担当如此神圣的责任,心里还真的七上八下地没个底儿呢。三则,让身为媳妇者为家谱写序,其他地方的习俗咱不懂,但在大陕北算不算一个破天荒的创举呢?

话又说回来,算起来,建军兄弟还是我的大学学弟呢。之前我们并不认识,嫁入李家之后,认了门归了亲,方知我们曾就读于同一所大学,他低我一级,学的是历史专业,我学的是汉语言文学专业。不曾想到的是,若干年后,他牵头组织编写族谱,并担任主编,开篇的《序》则由我来完成,也算是各司其职,各尽所能,各显所长,各自发挥学科优势了。从这个意义上来讲,完成一份重托,是信任,是责任,是担当,更是一份众望所归的荣光。我责无旁贷。

因为一直谋职在外,我回老家的机会相对比较少。记得刚刚结婚那会儿,依习俗,无论哪个家门添了人口,新嫁娘都需要在第一年去老坟烧纸,给祖上报到的。清明节放假期间,我们一家人在公公李平才的带领下,"浩浩荡荡"一起回了趟老家——志丹县张渠乡王渠大队老林台村。20世纪90年代初那会儿的志丹县还相对落后,交通不便。从县城出发,进入乡村道路段后,基本都是土路。也许好久都没有下雨了,车过处,卷起漫天黄尘。老旧的吉普车密封不好,车门、玻璃缝隙使劲儿往里面钻土。下车的时候,所有人浑身上下都落满了黄土,脸上头发上厚厚一层,眉毛睫毛上都是,似乎是从土堆里打了个滚儿的"土人"。快到王渠的时候就没有一条像样儿的路可走了,只能徒步前行。王渠到老林台还有一段更难走的山路，弯弯绕绕，荆棘密布，唯有沿着河道走。河水细细的，很是清澈，河滩里也不见多少石头，干净得有点儿荒凉，更显得河道宽敞。那会儿没有手机，出门也只是凭着经验看云识天气。幸亏那天没有下雨。据周围老百姓说，大雨天最容易引发山洪，水头下来的时候泥腥味儿特别重，混着柴草树木，速度非常快，宽展展的河床瞬间就会被汹涌而来的山洪填满。周围山上的雨水，来不及渗透，几乎没有遇到任何阻拦就直接卷着泥土滚滚而下。人如果在那个时间点儿在河道里行走，跑都来不及，是异常危险的。

太阳很是毒辣，沿途没有看到一棵树，干晒干晒的。我多么希望有一处浓绿的树荫出现，让人可以坐下来喘口气儿，纳一会儿凉。但我毕竟是新人，在新的环境，即使又渴又累，也不敢吱声，只是跟着走，硬着头皮走，咬着牙关走。双腿如同灌了铅似的，机械地往前挪着。路哟，咋就那么远，那么长，只见走，就是走不到。感觉腿都是木木的，似乎已经失去了知觉，不是自己的了，只一味往前挪着，挪着，快要僵了、折了。

终于到了老林台。

焚香、烧纸、磕头，上坟之后还要去拜访一些户家亲戚。大家和我都是初次见面，很是朴实，也热情、好客。大妈、婶子；二大、三大；哥哥、嫂子，只管随着介绍乖巧顺从地跟着叫，喊得晕头转向。一下子见到那么多亲戚，男的女的，皮肤都差不多一样黝黑，衣着打扮辨识度也不高，说话的语速语气也差不多，我很难记住每一个人。如果再次见面，基本模样儿应该会有一些印象，但这个嫂子是哪个哥的媳妇，那个哥又是三大或者四大的哪个儿子，等等，这么多错综复杂的人物关系，就十有八九乱了套，错了位，根本拎不清了。

后山那边还有一个出嫁的老姑姑要去看。

我那阵子腿已经走得很疼了，鞋子又不合脚，硬且磨脚踝，脚底板和脚指头也疼得钻心。人生地不熟，又想给大家留个好印象，只能隐忍着。暗暗想着，会不会有人突然带个话过来，说那个老姑姑出门去了，我们就不用再去看了，我就可以歇歇了。真的，很少走山路很少长途徒步锻炼的我，那会儿感觉再爬几道坡过几道坎的话，实在是扛不定了。

恰好，那个长着一双小脚的老姑姑，我们唤作"姑虐虐"的，竟然自己悄没声息地来了。她长得瘦瘦小小，精精干干，脑后挽着利落的发髻，同样黝黑的脸庞布满了深深浅浅的皱纹，喜滋滋笑吟吟的，一脸的喜庆，露出洁白整齐的牙齿。她说她一个人在家里等我们呢，左等不来，右等还不来，越等越着急，就索性自己过来了。不仅人来了，怀里还端着一盆新打的小米。她从硷畔畔上咯噔噔地迈着稳当当的碎步走来，走得很是轻巧，可脚下的路分明凹凸不平，还有比较陡的坡度，她又分明是上了年纪的人了。远远望去，她一路走得一点儿都不吃力，还显得很轻盈，腰板都不待含着的，让我很是羡慕和叹服。也是因为她的到来，结束了我的一段陪伴拜访见面的"苦刑"。所以，我对这个"姑虐虐"的印象尤为深刻，对她的那盆小米情，也心存感恩。

其实，人往往就是这样，对于自己最艰难时候别人不经意的一种帮助，啥时候想起来都香。

从现有的族谱记录来看，我们的老李家族并不具备中国传统大姓族群该有的荣耀和显赫，甚至还显得有点儿寒酸和艰辛。即使追溯到曾祖辈儿，也不见有什么特别显赫的族人。这和《旧志·保安》所记述的"地僻民淳，俗尚俭约"同出一辙。排名第一位的某某，虽官至副厅级，也不曾利用职权"泽被后世"。他的直系后裔大多数我都认识，都是普普通通的劳动者，有的还一直生活在农村，过着面朝黄土背朝天的日子。

迄今为止，族群里最"黄亮"的人物，经商者充其量算是崭露头角；从政者也没有再超过副厅级；其他行业和领域，更找不到一个称得上杰出的领军人物的。

也难怪，偏僻之地，日子过得苦。人老几辈儿长年累月都在为温饱奔命，子女的受教育程度普遍较低。有的家庭压根儿就不会花所谓的冤枉钱供女孩子读书，也没有人会觉得有什么不妥。直到90年代初期，在我的娘家富县，嫁女时还流传着这么一种说法："宁往下挪一千，不往上挪一砖"，说的是地理概念，其中的这个"上"，就包括志丹县。而我，恰恰就是"往上挪了一砖"的出嫁女子。

常言说，"嫁鸡随鸡，嫁狗随狗"，嫁给李家人就得遵从李家的习俗。结婚几十年，几乎每年春节我都雷打不动地随了丈夫一起回家过年。寒冬腊月天，搭乘没有任何供暖设施的大客车，翻越好几座山头，几个急转弯下来头晕乎乎的，人也快冻僵了，下车的时候感觉腿脚都不听使唤了，连路都不会走了。腊月二十七八回婆家，正月初二三回娘家，然后再返回单位上班。孩子小，负累重，过年休假比平时上班更辛苦、更劳累。身体累，心，更累。为此，我们还付出了"血"的教训：千禧年春节期间，一个冰天雪地的日子，我们两口子回家途中在一个叫"羊圪堵"的地方出了车祸，双双坠入二十多米深的沟里。或许是老天垂怜我们唯一的女儿无人照顾，才让我们幸运地成为这个当时被唤作"夺命沟儿"的被救出的"唯二"生还者。而且，更幸运的是，我们俩都只是伤了胳膊腿，没落下太大的后遗症，对我们后来的生活也没有造成太大影响。但那场车祸造成的心理阴影却久久挥之不去，如影随形，一直伴随了我好多年……

还想说说建民哥。

在这个家谱里，他在《人物篇》中名列第二，但因为生活的距离近，了解多，在当下族人心中他的分量最重。迄今为止，他依然是家族里最耀眼的一颗星。他不仅是张渠人的骄傲、志丹人的骄傲，也可以说是延安人的骄傲。他代表的不仅仅是李氏族人，更是从脚下这片黄土地走出去的所有陕北人的形象。只是天妒英才，建民哥不幸英年早逝，留下无尽遗憾。他属于公知人物，他的过往和影响在他猝然离去的那段时间，被各路媒体竞相报道。他的姓名和诸多事迹在网上一度成为热词，在"今日头条"的点击率也居高不下。族谱里记录他的文字和图片分量很足，差不多可以占据半壁江山。期待有潜力有实力的后辈们可以给他专门写个传记，作为传家宝代代传下去。这个小序容量有限，我就不再赘述。

他属于"夸父追日"式的英雄。如果假以时日，如箭在弦的他，定然会遥遥领先成为家族翘楚。可惜他的生命过早画上了休止符。

叹命运无常。

历史的车轮滚滚向前。前人未竟的事业，还期许后来者各自用力，用越来越好的未来去传承，去延续！

好在时代在变，志丹在变，老李家族也慢慢在变。

深埋地下的黑色液态宝贝给志丹人民带来了扬眉吐气的华丽蜕变，单单从他们说话的口气中都能品出那么一点儿"翻身道情"的味儿呢。昨日的保安，今天的志丹，地不再僻，民不再穷，且集多种骄傲于一身：全国文明县城、全国卫生县城、全国质量兴省先进县、全国文化先进县、全国最具区域带动力中小城市，还入选了"中国西部百强县市"名录。富了的不仅仅是腰包，富了的还有脑袋、思想和理念，人们的精气神也比先前足多了。老百姓的日子过得自在也舒坦多了。交通非常便捷，回家也是说话间的事儿，不用再沟里下梁里上辛苦地"弯弯绕"了，既可上一级公路，也可选择全程高速，用时不差上下。

李氏家族的后代们也紧跟时代的节拍,充分享受着时代的红利。他们上学就读的学校已不再限于张渠或者县城,小小年纪就可以南下延安,或进省城读书,甚至还可以耍点儿小任性,搞个自由切换。父母有能力供,也愿意供,乐意供,男孩女孩不偏不倚,平等相待。孩子们也多有出息,"读万卷书,行万里路",开阔了眼界,增长了见识,提升了才干。我欣喜地发现,我们李氏五代以后,逐渐是"小荷才露尖尖角"了。经商的在自己熟悉的领域可以单打独斗闯出一片小天地;步入仕途的八零后也开始主政一方,前途不可限量;还有从医的白衣天使、教书育人的"人类灵魂工程师"、护佑一方平安的人民警察、从事新能源新产业新技术的"新新人类";等等。这些老李家族的后人们,如随风播撒的种子,在祖国的大地上,正开枝散叶,努力绽放。青春的他们,是骄傲的也是自豪和自信的。他们走南闯北,扬帆起航。无论是飞鸟还是雄鹰,都会张开自己日渐丰满的羽翼,在广袤的苍穹下奋力翱翔。

大海、蓝天,海角、天涯。无论走得多远,不管飞得多高,他们身上始终流淌着李氏家族的血,永远都是我们的孩子,是我们李氏家族的后代——毕竟是同一个祖先，毕竟是根脉相连，毕竟是根叶相牵。

"万水千山不忘来时路，树高千尺常念沃土恩。"

编辑出版李家族谱，是建民哥生前最先倡导的，他也曾几次屈尊邀我加入编辑团队。只是他一直忙，我也没闲着。族谱的事情酝酿已久，他也一直在忙碌中牵挂着。建军兄弟相对有闲，也有能，毅然勇挑重担，筹划、整理、编辑，几经校注，耗费了好多旁观者难以想象的心血。出力未必能讨好，其中的付出和辛苦只有搞过文字工作的人可以感同身受。现在，这本族谱几经周折，终于可以付梓印刷了，建民哥也可以含笑九泉了。

族谱无言，但它会默默地告诉你：家在哪里，根在何方。

"天下之本在于家"，希望李氏家族的后来者，秉承良好家风，做到尊老爱幼、妻贤夫安、母慈子孝、知书达理。

家是最小的社会单元，"家和万事兴"。希望李氏家族的后人们，携带家族基因，以自己喜欢的方式，为家族增光添彩，为今后续写的族谱添加浓墨重彩的绚丽华章。

"山川异域，风月同天"，相信李氏家族的人们，无论走到哪里，心，会永远在一起。

2023年9月于延安

◆ 雕刻记忆 ◆

娘 的 话
—— 妈妈的育儿经

妈妈离开我们已经整整一年了。从最初的不忍、难过,到整理妈妈的遗物,丝丝缕缕,生活从至暗时刻,渐趋回归日常。

妈妈的日常用品中,我仅收留了一顶妈妈常常戴、最爱戴的帽子,又刻意翻找了许多照片,作为珍藏。

总是能想起妈妈说过的一些话。

妈妈在世时候不觉得啥,但在一些最熟知的生活场景中,就会猛不丁儿地"蹦出"一句妈妈的话来。回味着,品鉴着,仿佛有醍醐灌顶的顿悟。妈妈没有上过一天学,这些话,就算是她的育儿经。

我们都是妈妈在人世间的遗物。她走了,她说过的话还会激励我们指引我们前行。妈妈说过的话,虽然普通,却蕴含了诸多生活的哲理和智慧。

作为女儿,我凭自己的记忆零星记录一些,以防"失传":

1. 粗来了粗得似勺把儿,细来了细得似头发。(论节俭)

2. 娃儿,急啥哩,日(陕北方言读 ěr)头从家家门前过哩。(不要过早下结论)

3. 你敢抠我的心,我就敢剜你的眼。(斗争精神)

4. 哪怕人家打得血里捞人呢,关你啥事?(莫管闲事)

5. 娃嘛,娃了一回啥嘛!(对不谙世事孩子的包容)

6. 唉,都想坐轿,谁去抬轿么?(因材施教)

7. 大滴(的)弄不来,小滴看不上。(好高骛远,眼高手低)

8. 我就是穷得要饭吃,也要把我娃带上。我就是讨一个馍馍,也要掰半个给我娃吃!(孤儿寡母,亲情。)

9. 自己浑身的屎,还嫌别人屁臭气。("双标")

10. 好人出在嘴上,好马出在腿上。(表达、沟通

的艺术）

11.有理不打等肩高的儿呢！（尊重个体生命）

12.娘家是啥？娘家就是女儿的底气和靠山。（一种支撑）

13.雀雀（雀儿）斗危了都鸰（啄）人呢！（凡事有度）

14.让我娃哭嘛，说嘛，把肚子里的苦水也倒一倒嘛！（做一个最好的倾听者，纾困）

15. 唉，么（没）人招识，活成人散了！（自作自受，没人气儿）

16.猪不笑老鸹（陕北方言读 wǎ）黑，老鸹不笑猪四条腿。（大家半斤八两，不差上下，一种"货色"）

17.搅得七家子瓮八家子酸,谁家都不得安然！（搬弄是非者）

18.一面丑好当。（要懂得拒绝，不可能讨好所有人）

19.一把肠子揪断……（要有狠劲儿，当断则断，不受其乱）

20.小事就是大事的捻子。（莫以恶小而为之）

21.我刚强了一辈子，就不会给人说那些下气儿话。（要有骨气，懂得自尊自爱）

22.三句好话暖人心……哄死人都不偿命呢！（沟通的艺术，有话好好说）

23.逢哈（遇到）这号子打嘴板板儿了，说不起嘴么。（做了蒙羞的人和事情，在人前抬不起头）

24.自己把短头儿事情做哈咧，还有嘴说人！（"双标"的人）

25.哭啥哩？哭肚子里的冤枉哩么！（换位思考，读懂别人）

26.我老了，不得行了，你们要好好孝顺我呢！（年老的妈妈，头脑特别清楚，曾经把子女挨个儿叫到跟前，逐一如此吩咐。不能不说这是一种先发制人的管理智慧，倒逼子女们反思自己是不是存在不孝的言行或者过错）

27.唉，咋还不死哩么——我年纪大了，浑身没有一坨不疼滴，活滴够够滴哩。儿大了，女嫁了，么牵挂了。你们要记住，如果有一天我犯了病，不得行了，千万不要抢救，千万不要把我送医院。（老年的妈妈，一直这么安顿，特别达观）

28.有了后娘就有了后老子了——宁要讨吃的娘，不要当官的爹。（一般来讲，重组家庭里最可怜的是孩子。当然，不排除有幸福的，但毕竟少）

29. 可怜滴，没妈妈娃，你们要看得照看哩！（要有担当）

30. 娘生身，自长心。（孩子的悟性也很重要）

31. 惯子如杀子。（不能溺爱和娇惯孩子）

32. 三岁看到老。（本性是娘胎里带的）

33. 几时把这三个小滴"挖"（养）大也！（这是父亲去世后，妈妈睡梦中常常说的话。面对三个嗷嗷待哺的小娃，怎一个"愁"字了得哟）

34. 你叫我把我三个碎娃送给人，多亏么送；看看，我三个碎滴，长大了都是好滴。（当年为妈妈着想，姐姐曾经劝说妈妈把我们三个碎娃送人算了。这是我们成年后，妈妈对姐姐说的话。很庆幸，能成为妈妈的骄傲）

35. 要能行，要厉害，就要有吃钢咬铁的本事。（励志、激励）

36. 不要光知道当屋里的汉。（窝里横算啥本事，有本事外面耍去）

37. 瞎（陕北方言读 hā）子杵着跛子跳崖（陕北方言读 nái）哩。（没脑子，没主意）

38. 狼行千里吃肉哩，狗行千里吃屎哩。（本性难改）

39. 人教人教不会，事情教人一教就会。（不要说教）

40. 要苦么苦，要智么智。（提不起的烂泥滩）

41. 饭要旁人吃，活儿要自己做（陕北方言读 zòu）哩。（凡事靠自己，别指望外人）

42. 喂不熟的狗。（白眼儿狼）

43. 咻是旁人养哈一条狗，一"乌嗜"就扑上去咧。（不过脑子，或者被洗脑，被利用）

44. 门里一条汉，歪好支不出门。（窝里横）

45. 我八个都不嫌多，你一个都不耐烦。（批评我们对孩子没耐心）

46. 前晌有了后妈，后晌就有了后大咧。（重组家庭对孩子成长不利）

47. 支上瞎子跳崖哩。（忽悠人犯错误）

48. 赶着鸭子上架哩。（强人所难）

49. 河不流水，尿还把人憋死咧？（要灵活机动，随机应变）

50. 眼眼巧，手儿拙。（眼高手低）

51. 光看贼吃肉，不知贼挨打。（只看到好的一面，看不到坏的一面）

52. 三丈高，两丈低。（计较高低）

53. 能享福也能受罪。（能屈能伸）

54. 空里来雾里去。（不着边际，不靠谱）

55. 尻子（屁股）像抹上油咧。（不踏实，坐不住）

56. 光说晒毡，不说尿床。（说好不说坏）

57. 阎王不嫌鬼瘦。（抓住一个算一个，不计好坏）

58. 人家猪圈里跑出来个猪，你都当成大象哩。（长别人志气，盲目崇拜）

59. 不要光寻（陕北方言读 xíng）旁人的歪戴帽。（只找别人的不是）

60. 人靠衣装马靠鞍。（外表很重要）

61. 江山易改，本性难移。（生性如此，性格难改变）

62. 狗改不了吃屎。（本性难移）

63. 大钱挣不来，小钱看不上。（眼高手低）

64. 咕咕嘟嘟就像插糨糊似的。（表达不清）

65. 门缝看人哩。（瞧不起人）

66. 穷汉家娃脖子上没强筋。（人穷志短）

67. 吹胀捏塌。（以自我为中心，自己说了算）

68. 拾到篮篮都是菜。（积累很重要）

69. 当一天和尚撞一天钟。（过一天算一天）

70. 棍逮住都有大头小尾，何况人呢。（知敬畏，懂礼数）

71. 苦做了，美吃了。（享受自己的劳动成果）

72. 白天游门子,黑夜里借油补裙子。(做事无计划,瞎忙乱)

73. 戳前攮后,戳窝子卖怪。(搬弄是非)

74. 张四贵(死鬼)家的马,用着了就死板见哈咧。(关键时刻撂挑子)

75. 活妖精,人前一套人后一套。("戏精",虚伪)

76. 哭滴哭滴害人哩。(善于伪装,害人)

77. 黄泉路上无老小——阎王让人三更死,等不到五更。(意外的发生总是出乎预料)

78. 小心驶得万年船。(谨慎方能持久)

79. 自丑不觉得。(看不到自身的缺点)

80. 前三十看父敬子哩,后三十看子敬父哩。(三十年河东,三十年河西)

81. 哈(坏)人多作怪,哈馍馍多夹菜。(坏人干坏事,坏了的馍靠夹菜掩盖)

82. 磨刀不误砍柴功。(统筹兼顾的智慧)

以上,只是我记忆中的一部分。

相信,妈妈的育儿经会随着我的记录长存于世;相信,妈妈的育儿经,也是她给予晚辈们的一笔精神财富。

2022年4月于延安

雕 刻 记 忆

今天的日常,就是明天的故事;
岁月是把刀,我用它雕刻记忆。

——题记

(一)唯一的合影

父亲走的时候还很年轻,那时的我尚且年幼。

在我童年有限的记忆中,与父亲关联的回忆一直都比较模糊。只记得每次父亲回家时,总是标志性地含着胸、微微低一下头才可以进来。后来琢磨着,应该是老式的屋门设计得比较低矮，父亲的个头又比较高大的缘故吧。

母亲是苦出身，幼年时就失去了自己的父亲，经历过战乱和饥荒，十七岁嫁入霍家，跟着我们的父亲度过了一段短暂的安稳日子。母亲打小身子骨弱，自嫁过来后没有干过什么体力活儿。母亲说，老霍家啥都好，城里有铺子，农村买了地，还开了布坊、油坊，日子过得宽裕，就是三代单传，一直缺人手。到了你父亲这一辈，光景过好了，就希望后世人丁兴旺。你们的父亲有本事，也细心，脾气又好，对你们姊妹八个不偏不倚一样疼爱。

父亲在世时，母亲整天围着娃娃们转，天亮起床天黑睡觉，忙归忙，累归累，但累并快乐着，门外的事情基本不用操心，也从来没有觉得日子艰难。

院子里的几口大缸，承载了有关父亲的点点滴滴。有父亲陪伴的日子里，缸里的水总是满的，光景日月是轻松欢快的。瓜果飘香的季节，父亲常常背着手前面走，身后跟着担着盛满水果的箩筐的货郎。桃、杏儿、梨、苹果等，呼啦啦倒入缸里，洗干净捞出来，摊开，孩子们圪蹴在一起刺溜溜地放开肚皮吃。吃饱了，吃撑了，剩余的放在铺子里卖。不仅满足了孩子们的嘴巴和肚皮，还小有盈利。

父亲走后，缸就空了。别说吃应季新鲜水果了，就是想喝一口凉水，都没有那么称心的人心甘情愿随时拿了扁担和双桶去挑呢。时间久了，长期缺水的缸也破了。

父亲与母亲只有唯一的一张合影：布景照片，飞机舷窗窗口，两张年轻的面庞。母亲披肩长发，斜分刘海，很是文静；父亲的五官棱角分明，很是英俊帅气。

他们相伴短暂但一生和睦，很少吵架、拌嘴。即使偶有分歧，大多也是为了孩子的教育，父亲主温和，母亲更严厉。

只是天妒良缘，年纪轻轻的他们过早地阴阳两隔。如今，分离五十年后，他们在天堂团聚了。

（二）我们的家境

我这里所说的家，是指我的原生家庭，位于陕西省富县，是我和同胞兄弟姐妹们共同的出生地和成长地。

富县不算富，但相对来讲比较大，在延安市南部，是延安市域内土地面积最大的一个县。古时候，它拥有一个非常好听的名字，叫鄜州，曾经州领三县，辖境广阔，名噪一时。

鄜州的"鄜"字，与中国历史上唯一的女皇帝武则天给自己取名造的那个"曌"字类似，在汉语字典中的注释独一无二，属于专利般的存在。

从小到大，我们家也曾搬迁过几次，但一直都没有离开富县县城的中心区域。

父亲走得匆忙，留给母亲的所有遗产只是几间老屋、一群碎娃。

老屋的房间数量不少，但年久失修，都很破旧。每逢大雨天，屋内有几处就会下"小雨"。锅碗瓢盆齐上阵，叮叮咚咚，奏响湿漉漉的雨天进行曲，迎接"天庭来客"。

父亲去世时，母亲才刚刚四十出头。没有上过一天学，不认识一个字，没有一分钱收入的母亲，拖着我们兄弟姐妹八个孩子，几乎每天都在为吃饭发愁。兄弟姐妹，四男四女，最大的还没有成年，最小的才刚刚牙牙学语。母亲梦中的呓语，都是一声长长的叹息：唉——几时才能把那三个碎滴养大噻！一行清泪滑出眼角。

多少个暗夜的油灯下，忙碌了一天的母亲在儿女们熟睡后还在缝补衣衫。从早到晚，她总有干不完的家务活，洗衣、做饭，推碾子、磨面，喂猪、喂羊，里里外外的所有事务都只能是她一个人扛着。

看见的，是身累；看不见的，是沉重是心累。

少不更事的我们，都不是让母亲省心的孩子，相互之间经常打闹不休！个个性格独立，脾气倔强，个性突显。嘴巴快的伶牙俐齿逞一时口舌之快；嘴笨的闷声憋屈拳脚伺候。你是火药、他是雷管，一碰即燃，一触就爆。无非就是一些"戳猫斗狗"提不上串儿的破事，但谁都不甘示弱，谁也不肯屈服，剑拔弩张，睚眦必报。母亲哪儿来的闲工夫断这些烂官司，也懒得搭理，任凭我们闹去。狗皮袜子没反正，这会子恨得牙痒痒，转眼间，我们又挤眉弄眼相安无事。响动闹腾大了，母亲就"武力"镇压。记忆中，家里的一盘大土炕上，母亲的随身"武器"是枕头底下压着的笤杵疙瘩、炕栏前竖着的擀面杖。身心疲惫的母亲，维稳的方式只有一个：各打五十大板，远处的擀面杖敲，近处的笤杵疙瘩伺候！

我们在母亲的棍棒下慢慢长大，顺利完成学业，走上工作岗位，懂事、明理、成熟、成人、成家、成长。

母亲一次次目送自己的子女远行，又一次次迎来子女的子女回家。瘦小羸弱的母亲一生最伟大的事业就是养育成就了八个子女，又亲手带大了子女的五个子女。如今，我们的大家族已是五世同堂，算起来大大小小共计五十二口人丁。

渐行渐远的身影,拉出了渐升渐浓的亲情。

逢年过节团聚在一起,反思自己儿时的"二"劲儿,更多的是感叹母亲的种种不易。

多么希望回到那个我们跑着被母亲满院子追着打的时光。至少,那时的母亲是年轻的、健康的。

现在回味起来,挨打的记忆,也是甜蜜的、幸福的。

(三)童年的生活片段

家里的大菜园,桃树一棵、枣树三棵、梨树一棵,还有一棵硕大的桑葚树。记忆中,妈妈养过蚕。睡梦中,总能听到白白胖胖的蚕宝宝"沙沙沙"啃食桑叶的声音;吃过大锅里刚刚捞出的胖胖的蚕蛹,嫩滑爽口;看到过蚕儿吐出的白白亮亮的丝线,缠缠绕绕。不知妈妈用什么染料水把白色的丝线浸染成黑色的、红色的、绿色的、粉色的各色丝线,除了偶尔卖一些外,大多是用来给我们缝衣服、衲鞋帮,还用绣花针在绷子上绣出各种各样好看的花儿,缤缤纷纷飘落在我们的枕头上、手帕上、衣服上。

虽是城里的孩子,迫于生计,诸如种瓜、种菜,搂柴火、捡"蓝碳",烧炕、生火、做饭,喂猪、养羊这些活儿,我们没有一样不会,没有一样不精。好在家里房子足够多,院子足够大,像猫啊,狗啊,都可以自在地拖家带口,悠闲安逸地在我们家安营扎寨。那些可爱的兔子、成群的鸡鸭,从出生到长大,一茬又一茬,成为陪伴我们一路成长的最佳玩伴。

小时候,最奇怪最纳闷的就是邻居家的孩子可以伸手向父母要钱。父母怎么会有钱呢?我们就知道妈妈压根儿没有钱。零花钱,只能靠自己想办法去挣。

家门口是电影院。电影开演之前,我们就自己炒了葵花子和小麻子——榨麻油的原料,在电影院门口卖。嗑麻子属于技术活儿,是富县人的最爱,时至今日我还没有见过其他地方有人会嗑麻子呢。县城里赶集的日子,是最佳的赚钱时机。一张破旧的小炕桌,压上一块玻璃板装饰一下,属于我们三个毛孩子的小生意就开张了。按杯量,一杯一毛钱。我们也卖自制的汽水,是糖精加水加红的黄的食品色素调和的,甜甜的,干干净净,很透亮,看着很是养眼。没有人指教,不需要技术;没有城管追赶,没有物价制约。粗糙的汽水价格完全是我们自己说了算:大罐头瓶的两分钱,小点儿的玻璃杯的一分钱。县城只有唯一的一条街，从南到北，我们的小摊位属于独家存在。人来人往，熙熙攘攘，太阳越毒，生意越火，我们一个人续杯，一个人收钱，一个人专门搞运输、调制汽水。坐在小板凳上，偶尔抬头，看不到顾客的脸，只看见一张张饥渴难耐的大嘴，在阳光、玻璃、水的折射下，显得异常贪婪地在大口吞咽。一分、二分、五分的硬币，一个接一个雨点似地跌落在桌前。小生意火得根本无须吆喝，我们只需低头续水、捡钱即可。

　　收摊的时候，我们三个的衣服口袋里，都装着沉甸甸的分分钱。我们摸着、捏着、笑着，如打了胜仗的勇士凯旋。上缴是必须的，美滋滋地给自己留点儿小小的私房钱，也是心照不宣的。一根豆沙冰棍儿，一片薄薄的棉花糖，就是对自己的奖赏。我天生不喜欢甜食，就一路小跑着，来到街头十字路口的蔬菜门市铺柜台前，不到两毛钱，就可以买两条没有头的小咸鱼。至今搞不清楚那是用什么类型的鱼制作的，一片一片撕了，塞进嘴里，慢慢品着，细细嚼着，有咸咸的香香的浓浓的鱼香味儿，还有心里滋生出的另外一种说不清道不明的味道，是满满的惬意，满满的舒心，满满的幸福。

（四）走进校园

不知道县城里究竟有没有幼儿园，反正小时候也没见过周围谁家的小孩去上过什么幼儿园。与大多数农村孩子稍微显得不同的是，满世界疯玩儿的我们，到了上学的年龄，不管愿不愿意，高不高兴，不管天分如何，都无一例外地挨个儿背起书包走进了学校的大门。

这得感谢母亲。

没上过学的母亲，一门心思指望着我们能够成为父亲那样的读书人。因此，不管日子多么艰难，身边多么需要一个帮手，她都宁愿一个人咬紧牙关硬扛着，起早贪黑，无怨无悔，义无反顾，异常坚定执着地，把自己的每一个孩子都不偏不倚地送进了教室。

年轻时的妈妈，对我们实施的完全是狼性教育。她说：你们姊妹几个都是没爸的可怜娃，若想要不被人欺负，就得练就吃钢咬铁的本事。"狗行千里吃屎哩，狼行千里吃肉哩"，吃屎还是吃肉，都得靠你们自己选择。她自己不识字，但知晓识字的种种好，总觉得让自己的子女们能写会算、读书明理、见多识广，是错不了的，至少不会被别人蒙骗，走向社会也不会轻易吃亏！

周围的人都不解，她只是淡淡地说：家里这个烂摊子，一个人和十个人一样儿，都是耗着。有我这盏破油灯照着，尽使得了。娃们还小呢，也都灵性着呢，啥事都甭管，好好念他们的书去，兴许还能奔出个自己的前程呢！

几块钱的学费，可以找集体盖个章，减免一部分。记得我一年级入学的时候，递给收费窗口的，就是一张盖了大红印章的免费便函外加五毛钱，就一切搞定。剩下有关日常糊口的问题，就得开动脑筋自己想办法解决。那个缺衣少吃的年代，父母健全的家庭，饭也不一定能吃饱。但我们一群娃在母亲的呵护下从来没有饿过肚子，甚至比周围大多数孩子都吃得略好一些。母亲把玉米面拍成圆圆的小面饼，在大铁锅里慢火烤得黄黄的，咬起来"咯嘣嘣"响，又酥又脆，啥时候想起来都觉得好吃。那会儿城里有工作的人粮本上的供应粮都是粗细搭配，就有人需要从农村买了麦子补贴家用改善生活。母亲没日没夜地给那些上班的人家磨面，白面给人家交回去，剩余的麸子和黑面就作为劳务报酬留了下来。黑面馍不好看，却好吃，可以给我们一大家子改善伙食。

许多年以来，是母亲如定海神针般的支撑，才使我们那个风雨飘摇的家得以生存、延续、兴旺。

（五）老妈的生活花絮

年轻时被沉重家累拖着拽着无法远行的母亲，压根儿不懂什么诗和远方，但一种天生的温暖和灵巧，却是骨子里带的。

清明节前夕，家乡有蒸面花的习俗。提前发酵好的面团在母亲的揉搓下，凭借小剪刀、小梳子、顶针这样的"道具"，变戏法似的陈列为形态各异的"清明罐"：每个罐内都装着一颗鸡蛋，罐带周围分别盘踞着可爱的小猪头、小兔子、小鸡以及展翅欲飞的小燕子，还有静态的西瓜、树叶、花瓣、麦秸垛。我们团团围绕在案板前，你争我抢依样儿画葫芦跟着母亲学手艺，加上自己的喜好和创意，让诸如老虎、大象、熊猫这些在传统面花里从来没有出现过的动物也纷纷汇集到我家的锅台上。

母亲还是个十足的戏迷，酷爱秦腔。每逢物资交流会、庙会，她总是赶着场子看戏。只要提起看戏，她立马来了精神。平时慢悠悠的一个人也立马变成了急性子，催着、赶着，比唱戏的还积极、上心。一个小板凳，一顶草编帽，她早早地坐在戏台前占据了最佳位置。为了不错过每一个精彩唱段，大太阳下，她不吃不喝，如痴如醉，一坐就是大半天。我们常常因为担心她体力不支，生拉硬扯地乖哄着，拖她回家。

没进过学堂的母亲，有限的知识，都来自戏文。

第一次坐飞机，我们都在担忧她会不会害怕，会不会头晕，母亲却孩子似的激动异常，兴冲冲地来了一句：哦，飞到天上，是不是就可以看到嫦娥了？

母亲出游的首选地是杭州。除了"上有天堂下有苏杭"，还因为念念不忘的《游西湖》。到了西湖，话题除了李慧娘就是白娘子和许仙，还问：雷峰塔还在吗？白娘子放出来了没有？法海老和尚死了还是活着？

她还关心国家大事。一次回家，高速路上耽搁了一阵子，好像是说因为要寻找神舟五号飞船脱落舱体残片。我很外行地胡乱给妈妈解释了让她久等的原因，母亲就忧虑地问：哎哟，不知道砸到人没有？——思维特别活跃，天上地下穿梭跳动，搞得我们都跟不上她的思路。

◆ 雕刻记忆 ◆

去延安革命旧址参观，看到广场正中站着的伟人塑像，她静静地、仔细地端详着，末了，不无遗憾地说：唉，老人家恓惶滴，累了一辈子了，都没说让他坐着歇歇，站在这儿，日晒雨淋滴，太累啦！

纪念馆里，枪炮手榴弹等实物陈列，有些家伙妈妈是摸过、见过的。她兴奋地给我讲当年她怎么"跑胡宗南"：十多岁的她怎么给脸上涂锅底的黑，怎么一起和家人逃难。看到天上的敌机，不知所措，突然听到前面的八路军喊"卧倒"，战士们趴下，她也跟着稀里糊涂地趴下。她不时地用手、用胳膊比画着，模仿飞机怎么飞，炸弹怎么落。轮椅上的妈妈，沉浸在回忆中。她声情并茂，身体倾斜着示范着，惟妙惟肖，吸引了周围一大波游客饶有兴趣地跟着听。有个外地游人追着问老人是不是八路军，是不是老红军。母亲听不清，我贴近她耳朵大声转述，她就呵呵地开心大笑，挥挥手说：不是不是，我那会儿还小，人家不要。我唯一的哥哥是呢，打直罗战役的时候被鬼子打死的，才二十三岁。我大给八路军抬过担架，被国民党抓住审问共产党部队去了哪里，不说，被吊在村里的那棵老槐树上，活活给打死了。我妈，我娃儿的外婆，是村里的妇女干部，给部队纳鞋，我也纳过。

村里的婆姨女子都有任务，手巧的一晚上可以纳三四双鞋底呢！

或许时隔久远，母亲说这些话的时候，没有悲伤。

我感受到的，是她满面的荣光，无限的骄傲！

（六）一个人的家

当最后一个幼崽从窝里飞走的时候，曾经热闹的家，一下子变得清冷起来。曾经拥挤的家，里里外外都显得空空落落，出出进进只剩下母亲一个人了。

陆陆续续，我们都组建了自己的小家。

天南地北，天各一方，各自忙碌。

那个位于富县的家，实实在在就成为母亲一个人的家了。

家就是妈，妈就是家。

有妈的那个家，是光，是暖，是思念。

妈对儿女们的牵挂，如扯不断的丝线，随着日月更替，变得悠长、悠长。

兄弟姐妹之间几乎所有的交集就是回家，回富县的家。回家的唯一目的，就是看妈。

妈在，家就在，依靠就在。

忙不过来的时候，已经成家的几个子女又把自己的子女接二连三地给妈妈送了回去。妈乐呵呵地全盘接收，从来没有说过一个"不"字。她依然像当初疼爱自己的子女那样疼爱着子女的子女。

家孙外孙，没有一个不亲；男孩女孩，没有一个不爱，不偏不倚，爱心满满。

我大学毕业的时候，母亲已步入花甲之年。我暗暗发誓：从此，绝不再让母亲操心、受苦、受累，包括帮衬儿女照看孙辈！我也力图从自己做起。即使刚刚参加工作，即使无力给予家里太多物质上的援助，至少自己的事情自己解决，自己的孩子自己带。不管怎么说，没有一分钱收入的母亲一个人能带大八个孩子，我们两个吃公家饭的人又怎么好意思为养育一个孩子叫苦？如此励志，委实是不忍心给腰身不再挺拔的母亲增加一丝一毫的负担。

七十岁之前，妈亲手带大的娃，算起来有十三个，除了自己生养的八个子女，还有年长的子女的五个子女。母亲年事已高，她的子女中排行靠后的三个孩子都商量好了，自己的娃自己带，不忍心再让母亲操劳。

她的一生都是为儿女们活着的。

儿女们就是她生命的全部。

母亲八十大寿之后，身子骨越发羸弱，腿脚也不利索了。虽说饮食起居尚能自己解决，但出行基本依靠轮椅。

我们都忐忑地意识到：母亲与我们的缘分，分明已经开启了倒计时模式。今天相见，不晓得明天再次归来还能不能再见呢。

相聚的话题自然就聊到了母亲的养老护理和陪伴。其中意见最统一的就是：每年腊月十八母亲生日的那一天，大家尽可能都相约回家，共同为母亲庆生。

（七）为母亲祝寿

此后十多年，腊月十八之于我们老霍家来说，就远比任何一个老祖先留下的传统节日更隆重、更喜庆。

这一天，白发苍苍的老母亲，总会一丝不苟地梳了头，仔仔细细地擦把脸，抹点儿她情有独钟的"孩儿面"——国货老品牌的擦脸油，穿着深浅不一的红色系内搭和外套，或棉袄或毛衫或大衣，很有仪式感。她被礼物和鲜花簇拥着，看着齐刷刷满堂的儿孙们有说有笑地在身边穿梭、打趣，她呵呵地笑着，露出仅剩的几颗豁牙，乐得合不拢嘴巴。

这一天，最热闹的环节就是拜寿。没有一个外人，一老家子大大小小几十号人，按照儿子媳妇、女儿女婿、家孙外孙的顺序列队组合，依次进行。偶尔，几个喝过洋墨水、定居国外，或生活在祖国一线大都市的孙辈，也会千里万里行色匆匆赶回来。无论长幼，无论男女，均以中华民族最传统最古老的礼仪，面对端坐客厅中堂的老寿星——人群里唯一不识字的人，双手合十，屈膝下跪，大行叩拜之礼。

孙辈们登场后，本来还算秩序井然的场面，一下子就乱了"方阵"。他们相互嬉闹，相互扯胳膊拉腿，美其名曰叫"五体投地"，实则，是彻底放飞了自我，大搞"恶作剧"——强行把对方的头摁在地板上，不叩出几个响来，不碰起几个包来，不会罢休。大家没大没小，你推我搡，谁也不恼。看着的、闹着的，都跟着起哄、跟着嗨。逗着、乐着、笑着，笑出了眼泪，笑得腮帮子发疼。整个本该庄严肃穆的跪拜礼仪，就在这种几近无序的宽松嬉戏中，渐次推向了高潮。

母亲以自己的无私和大爱建立了一个无形的磁场，吸引着子女和子女的子女们从四面八方奔赴、汇聚，博得了全家上下男女老少三代人的一致尊崇、呵护和爱戴。

在儿女们的关爱和照顾下,身子骨一直比较瘦弱的母亲在晚年的时光里还相对胖了一点儿,脸色也好看,白里透红,属于老太太中干净漂亮的一类;性情也变得特别温和,一脸慈祥。美中不足的是经常腿疼,膝关节退变性病变,阴雨天疼痛还会加重,曾考虑过膝关节置换手术,又因年老体弱且有基础病等缘故只能放弃,轮椅成为母亲日常须臾不可或缺的依靠。除了血压高需要长期服药控制之外,老年的母亲身体再无其他大的毛病。

(八)母亲的最后时光

母亲生命的最后十多个月里,耳朵更背了,眼睛更花了,说话口齿不清,颠三倒四,记性更差了。

但她却清楚地记得谁回来看过她,谁有些日子没见着了。她每天都若有所待,每天都会眼巴巴等待着,期盼着她的哪个娃儿会突然从门里闪进来,给她一个从天而降的惊喜,热辣辣地冲着她喊一声:"妈——我回来了!"

如今的妈,不再是那个坚定且强悍的妈了,不再是那个义无反顾托举着儿女去奔前程的妈了。她衰老的躯体和内心一样羸弱，一样胆怯，一样无助。她无时无刻不充满了对儿女的依赖，正如我们小时候对她的依赖一般。

  身为女儿，妈的心思我最懂。每个周末，我都会雷打不动回富县，仅仅是为了和妈妈在一起。即使什么都不干，即使时间很有限，哪怕就在妈妈身边小坐那么一小会儿，听妈妈不厌其烦讲那些过去的事情，絮絮叨叨说着东家长西家短的故事。给她梳梳头、揉揉肩、捶捶背、敲敲腿，或者烧一壶水，给她泡个脚，慢慢地续添热水，保持水温不减，水位没过脚踝。给她剪剪手指甲脚趾甲，再抹点儿护肤品，按摩按摩。细细碎碎中，一种抚慰，一种满足，犹如脚盆里热水散发的暖，徐徐地、盈盈地，升腾着，在空气里扩散、弥漫。

  我心里清楚，母亲余生的日子不会太长，更害怕分别的日子突然降临。一次出差在外，梦见母亲病重，悲从中来，伤心欲绝，在睡梦里哭得肝肠寸断。哭醒后，就迫不及待搭乘凌晨四点多的航班，一路上噙着泪花儿飞回了家。当我看到母亲好好地靠着枕头倚床坐着时，竟然又忍不住搂着妈的脖子，脸贴着脸，鼻一把泪一把地哭了个够。

常言说：梦境与现实是反着的。我又何尝不知！

那一刻，我的泪是真的，是甜的。

妈说："我娃不哭哦，妈都活这么大岁数了，算寿长滴哩，活了你爸和你爷差不多两个人的岁数啦（爷爷和爸爸去世时都不满五十岁）。你们也都有成就了，也都孝顺，我的心甘了，没牵挂了，早都活够了。死了就不拖累你们了。"

我赶紧伸手捂了她的嘴，口里不住地"呸——呸——呸"，不让她再说下去。

母亲掰开我的手，神情严肃地告诉我："你可要记住了哦，如果哪一天我确实不行了，就让我利利索索清清爽爽地走，千万不要把我送医院，千万不要抢救！"

母亲说到做到。

（九）妈还是走了

2021年五一假期刚过，一个与平日无异的早餐时间。

母亲正拿着包子的左手突然一软，包子掉在了地上，她的左半边身子就软软地失去了知觉，意识尚且清楚。救护车来了，被抬上担架的母亲，说不出话来，就用那只能动弹的右手死死抓着门框，不愿出门。她使出浑身的力气，右脚和腿连踢带蹬，半边身子被折腾磕碰得青一块紫一块的。

是脑出血，出血量不算大。

母亲是老牌高血压患者，还算控制得好。医生说老人岁数大了，也没啥太好的办法，建议打吊针，补充营养，保守治疗。

从6月13日早晨发病到18日早上苏醒，母亲整整昏迷了六天五夜一百多个小时。子女们的心没有一刻不疼。一双双泪眼，一声声呼唤，感谢苍天——妈妈终于醒了，我们的妈妈又回来了：眼睛睁开了，尽管口齿不清，却能断断续续回应我们简单的问话。她抬起疲累的双眼四处看看，目光慢慢落到守候在床边的子女们身上，仔细辨别着一张张熟悉的脸，逐个唤着我们的名字，声音弱弱的、颤颤的。我们哽咽着，"哎、哎、哎"应答着，笑着、哭着，泣不成声，眼泪滂沱。

母亲似乎去意已决。她牙关紧咬，拒绝进食，拒绝喝水，我们用勺子把水从她干裂的双唇间喂进去，水又顺着嘴角流了出来。

她嘱咐姐姐从衣柜里翻出她的"老衣"，一件一件过目后,让给她穿戴整齐。这些寿衣,多年前就缝制好了,还有柏木寿材,也是在母亲的见证下精雕细刻提早准备得妥妥的,颜色、花纹、图案,都是母亲喜欢的。

母亲是铆定心思准备告别了。

她坚决不打吊针不吃药,说啥都不听,根本不愿配合治疗,任凭我们怎么乖哄,怎么苦口婆心地劝说,歪好都油盐不进。没办法,只能在她睡着的时候偷偷在右臂扎针(左脑出血,右边感知最迟钝)。但她只要醒了,看见输液管伸手就扯……扎了拔,拔了扎,反复几次后,右手右臂就肿得亮亮的,寻不见血管了,且淤血严重,跟紫皮茄子似的。为了扎进一针,能足足耗费近三个钟头。即便这样,护士好不容易才扎进去的针头,一不留神,又会被她一把揪扯拔出。鲜血顺着针头流了出来,染红了雪白的床单,顺着床单滴在地板上,殷红一片……

医生也没招儿,害怕情绪波动太大引起二次出血,只能停止输液。

就这样,不到一年,妈妈走了,了无牵挂地走了。

（十）思念绵绵无绝期

妈没了，有妈的家也散了。

很长一段时间，我一直走不出失去妈妈的阴霾。

开始害怕周末，害怕闲暇，不知道自己该干什么，手足无措，心慌缭乱，不知道该去哪里。

之前每到周末，我都会心急火燎地匆匆回家，打仗似的，大包小包塞满后备箱驱车往回赶，就是为了陪妈妈。到家了，心安了，节奏也慢了。从进门到离开，妈的视线就"粘"在我身上。即使去卫生间进厨房，她也要用手挪动着轮椅车轮，守在门口等着我，和我说话。唉，真是老小老小，越老越跟娃娃似的。一个单人沙发，母女俩搂着搀着挤坐在一起；一张不大的床，我不是蜷缩在母亲的脚下，就是依偎在她的枕边，细细弹奏独属于我们母女的无主题进行曲。

都说陪伴是最长情的告白。耄耋之年的老人，冬天怕冷，春秋怕风，四季里四分之三的时间都基本蜗居在家。腿不灵便，眼看不清，耳听不见，外部世界之于她，基本处于屏蔽状态。她又长年失眠，有限的睡眠完全依赖各类安眠药。读不了书，看不懂电视节目，偶尔近距离地贴近电视屏幕，可以勉强听听秦腔的旋律，看看"动物世界"忽闪忽闪的动物的影子。很难想象，在母亲的世界里，一年三百六十五天和那些个漫漫长夜，她究竟是怎么熬出来的！

如今，走在大街上，曾经时时光顾的"北京老布鞋"，又推出一款全新的软底浅口鞋。如果妈妈肿胀的脚穿上，是不是能够感到舒适一些？"阔太太"老年专卖店，夏款的浅色桑蚕丝衬衣看起来特别清爽，如果妈妈穿上，一定能够衬托得肤色更加白皙、亮净。新鲜的桃子也上市了，看起来熟透了，很软和的样子，属于妈妈最爱吃的那种——轻轻地一剥，皮儿就可以利索地剥掉，光溜溜水灵灵，咬一口，桃汁就往下滴，非常适合牙口不好的妈妈吃……还有花儿，路边、山上、公园，各种各样的花儿都竞相绽放了。这是妈妈最喜欢的季节：坐着轮椅，缠绵在花海间，仔细地看着、品着、摸着、嗅着，叹一句：这花儿，开得好滴，好滴！绕着、转着，久久不想回家。

现在，走在小区里，每每看见推着轮椅的子女和坐着轮椅的老人，就抑制不住泪眼蒙眬，那不就是我和妈妈的曾经吗？不敢进妈妈住过的房间，那里，除了照片，再也没有她的身影。小心规避着每一处曾经陪着妈妈走过的地方，生怕触景生情。

妈妈的离去，于我而言，何止是经历了一场人生的最大的暴雨，更是此生漫长的泥泞与潮湿。

妈妈走了，永远走了……

我也永远失去了当女儿的权利！

再舒适的新鞋子买了也没有人穿了；再好看的衣服也不知道该给谁买了。不知道另一个世界里，是否有好吃的桃子、好看的花儿？

"回家"似乎变成了一个迷茫的概念，我小心躲避着。

似乎不想回，也不愿回；其实是不忍回，也害怕回。

依然想家。

家是一生难报的感恩，家是回忆中满满的香甜。听起来很土的乡音，很亲；生僻的古老的"鄜"字，看着也很亲。

家，是富县西山上默默无语矗立千年被毁了顶的宝塔，还是穿城而过的洛河里昼夜不息的流水？是如今踏破铁鞋难寻踪迹的土城墙，还是记忆中的十字路口城楼上那口硕大的青铜铸就的华丽的铜钟？

山亲，水亲，乡音也很亲。

（十一）死亡不是生命的终点

突然想起一句话：死亡不是生命的终点，遗忘才是。

妈在的时候，似乎为妈做了一些力所能及的事情；妈走了，又觉得很多事情做得还远远不够，如果当初怎么样，后来又会怎么样……后悔着，纠结着。每当夜深人静或者一个人独处的时候，悲伤总被失落溢满。

那种痛，若非失去至亲者，根本无法感同身受。

日子没了方向，追忆又毫无结果。

遗憾，也许才是人生的常态。

妈走了，妈妈给予我们的，除了血脉的延续之外还有很多很多值得铭记的人生智慧。时不时会突然想起母亲说过的一些话。妈在世时候不觉得啥，现在，在许多温馨的片段和熟知的生活场景中，总能猛不丁儿地"蹦出"一两句母亲说过的话来。仔细回味着，品鉴着，仿佛有了醍醐灌顶的顿悟。

或许，妈那么决绝的离开，根本也没有那么复杂。

病痛、失眠、孤独，以及不愿成为孩子们的累赘……

◆ 雕刻记忆 ◆

不识字的母亲，对待生死的达观，一如圣人。

而我们自认为饱读诗书，却深陷剥离的"困局"，久久不能自拔……

或许，铭记母亲的教诲，传承母亲的善良与担当，赓续良好家风，好好活着，才是母亲最后的愿望。

擦干泪，拿起笔。打开心门，让思绪倾泻笔端。

我要以我的方式，以文字为铺垫，抚慰伤痛和遗憾。用文字雕刻记忆，让我们不识一字的母亲，在我的文字中得到永生！

最后，借用两句含有母亲姓名的藏头诗作为纪念：

菱枝虽弱风雷厉，
银叶永存月露香。

2024年6月18日于延安

其中部分内容，以《暖暖的家暖暖的妈》为题刊载于《延安文学》2023年第5期